A-Z PORTSMOUTH

CON

Key to Map Pages	2-3		6-55
Large Scale Pages	4-5		56-80

REFE

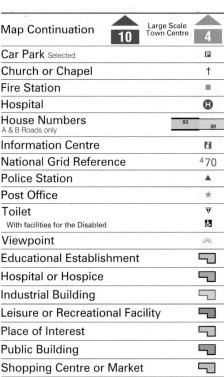

Motorway	M27
A Road	A27
B Road	B3333
Dual Carriageway	
One-way Street	→
Traffic flow on A Roads is indicated by a heavy line on the driver's left.	
Large Scale Pages Only	⇒
Restricted Access	
Pedestrianized Road	
Track	
Footpath	
Residential Walkway	
Railway — Level Crossing, Station, Tunnel	
Built-up Area	TALBOT RD.
Local Authority Boundary	
Postcode Boundary	

Map Continuation	10 Large Scale Town Centre 4
Car Park Selected	P
Church or Chapel	†
Fire Station	■
Hospital	H
House Numbers A & B Roads only	83 96
Information Centre	i
National Grid Reference	⁴70
Police Station	▲
Post Office	★
Toilet	▽
With facilities for the Disabled	♿
Viewpoint	☀
Educational Establishment	
Hospital or Hospice	
Industrial Building	
Leisure or Recreational Facility	
Place of Interest	
Public Building	
Shopping Centre or Market	
Other Selected Buildings	

SCALE

Map Pages 6-55	Map Pages 4-5
1:15,840 4 inches to 1 mile	1:7,920 8 inches to 1 mile
0 ¼ ½ Mile	0 ⅛ ¼ Mile
0 250 500 750 Metres	0 100 200 300 Metres
6.31 cm to 1 km 10.16 cm to 1 mile	12.63 cm to 1 km 20.32 cm to 1 mile

Copyright of Geographers' A-Z Map Company Ltd.

Head Office:
Fairfield Road, Borough Green, Sevenoaks, Kent TN15 8PP
Telephone 01732 781000 (General Enquiries & Trade Sales)

Showrooms:
44 Gray's Inn Road, London WC1X 8HX
Telephone 020 7440 9500 (Retail Sales)
www.a-zmaps.co.uk

Ordnance Survey® This product includes mapping data licensed from Ordnance Survey® with the permission of the Controller of Her Majesty's Stationery Office.
© Crown Copyright 2003. Licence number 100017302

Edition 4 2001   Edition 4A (part revision) 2003
Copyright © Geographers' A-Z Map Co. Ltd. 2003

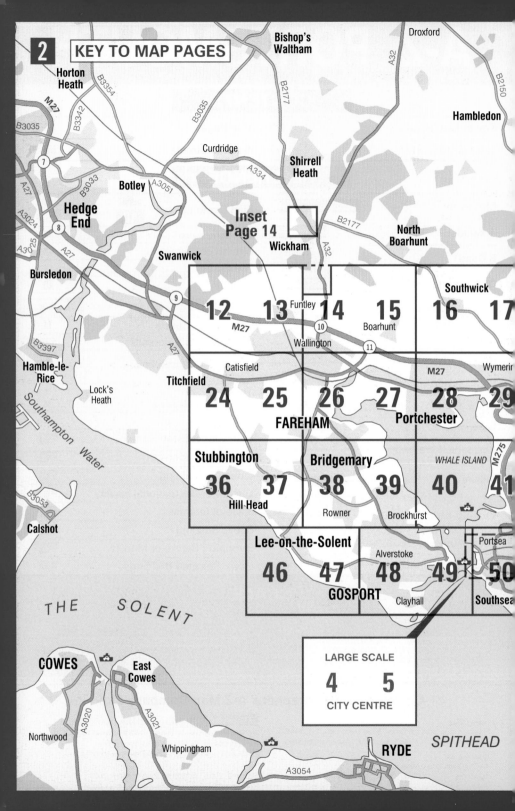

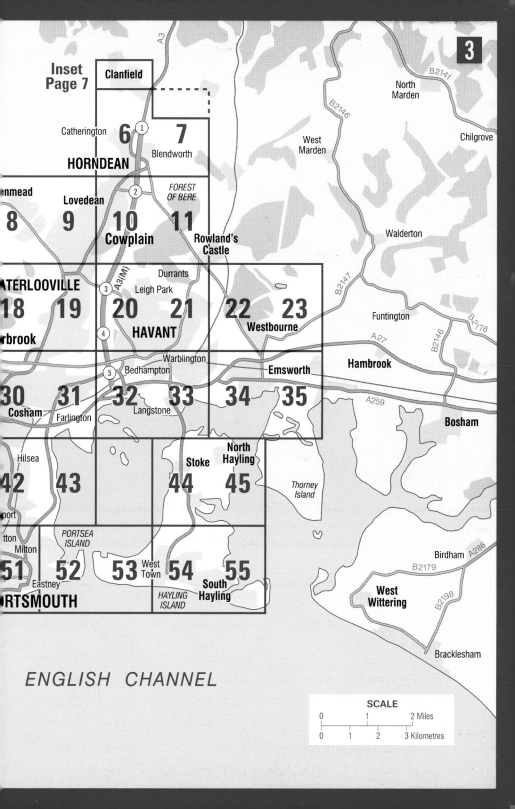

3

Inset Page 7

Clanfield

North Marden

Chilgrove

Catherington
6 ① 7
Blendworth

West Marden

HORNDEAN

FOREST OF BERE

Walderton

enmead
8 Lovedean
9 ② 10 11
Cowplain Rowland's Castle

West Marden

Walderton

ATERLOOVILLE
18 19 ③ 20 21 22 23
Durrants
Leigh Park
HAVANT Westbourne

Funtington

Cosham
30 31 ⑤ 32 33 34 35
Farlington Bedhampton Warblington Emsworth
Langstone

Hambrook

Bosham

A259

Hilsea
42 43 Stoke North Hayling
44 45 Thorney Island

port
tton Milton
51 52 53 54 55
Eastney West Town South Hayling
RTSMOUTH HAYLING ISLAND

PORTSEA ISLAND

Birdham

West Wittering

Bracklesham

ENGLISH CHANNEL

SCALE
0   1   2 Miles
0   1   2   3 Kilometres

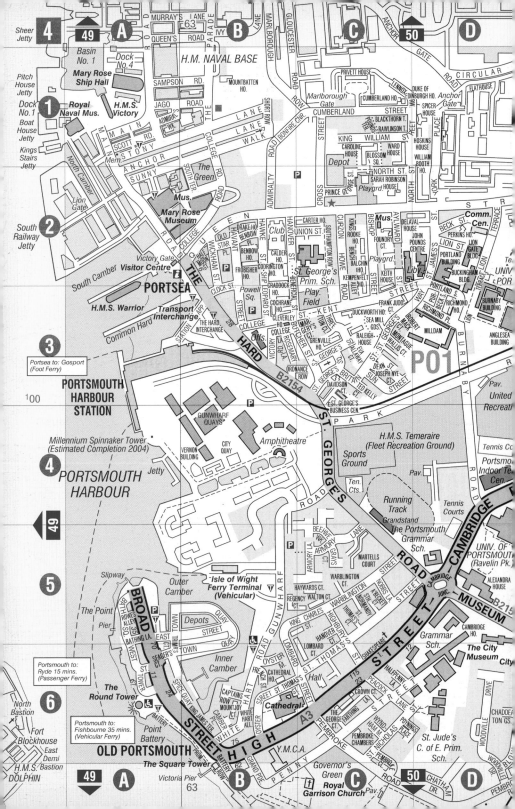

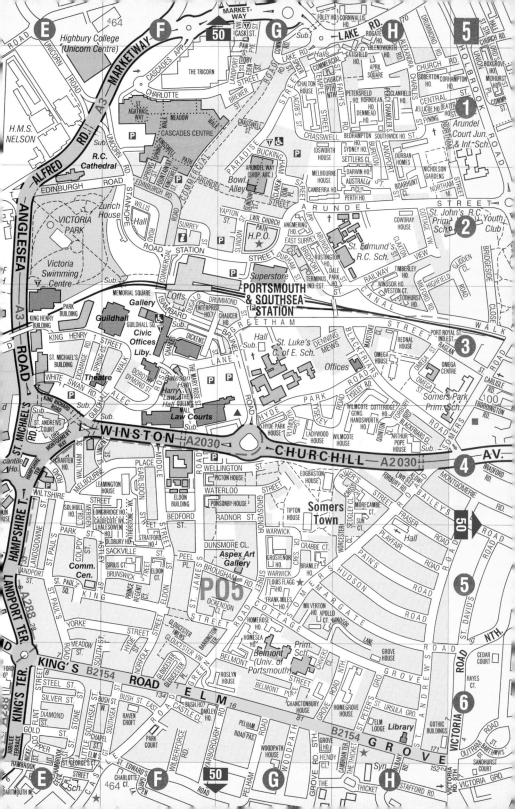

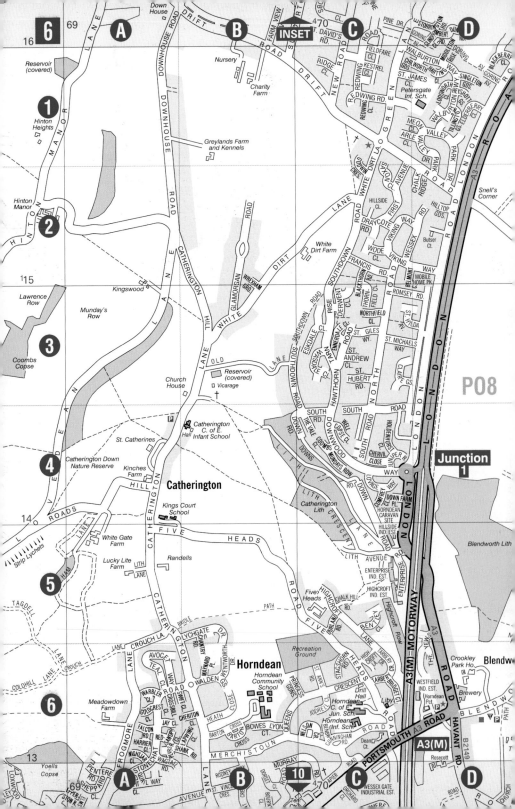

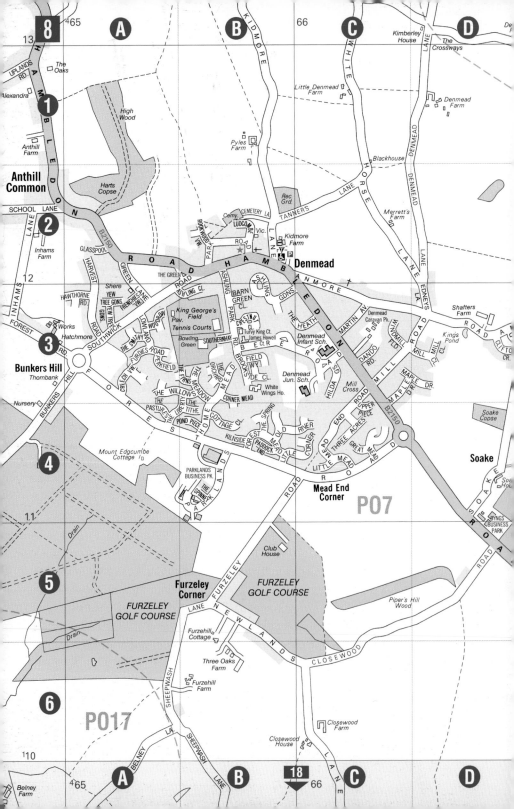

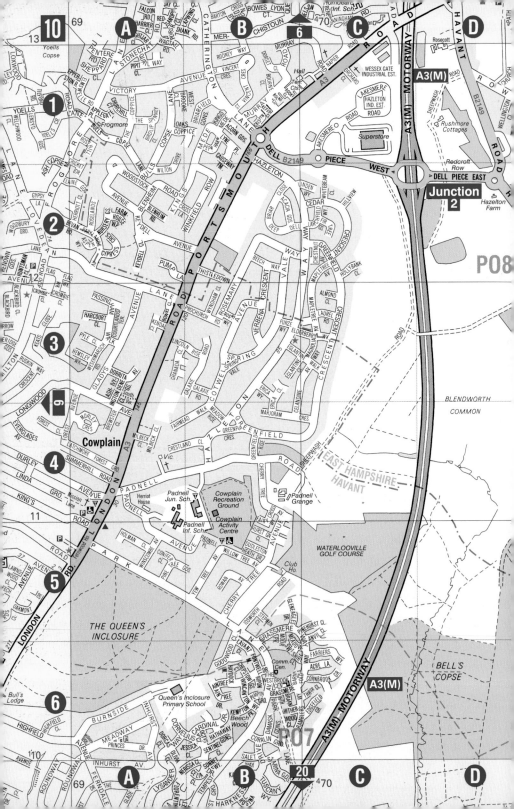

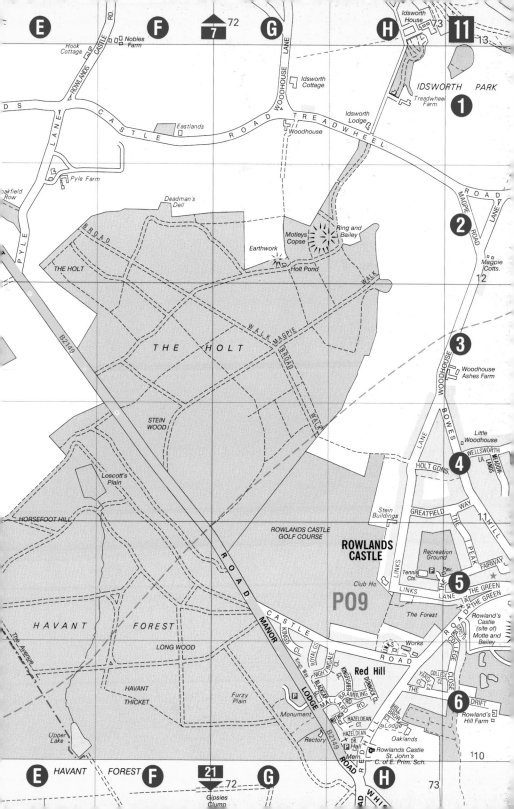

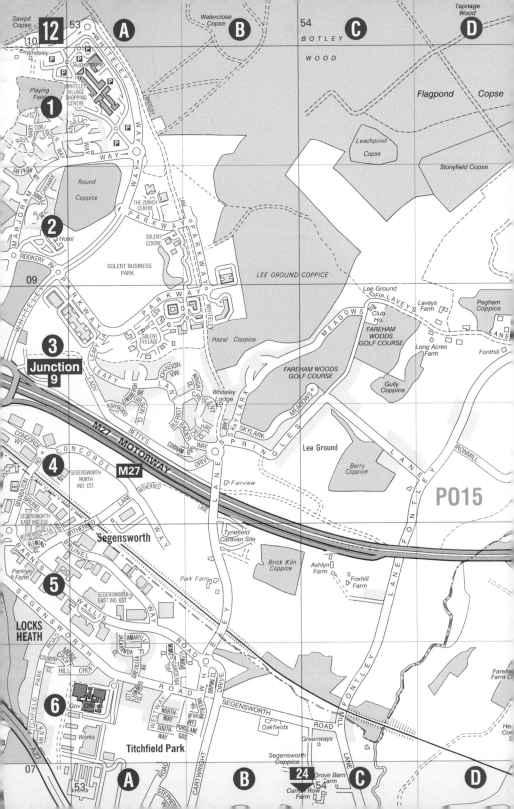

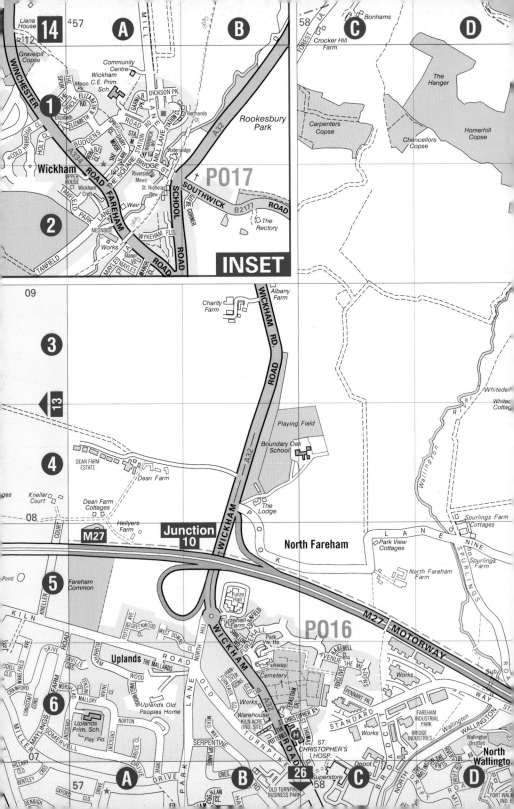

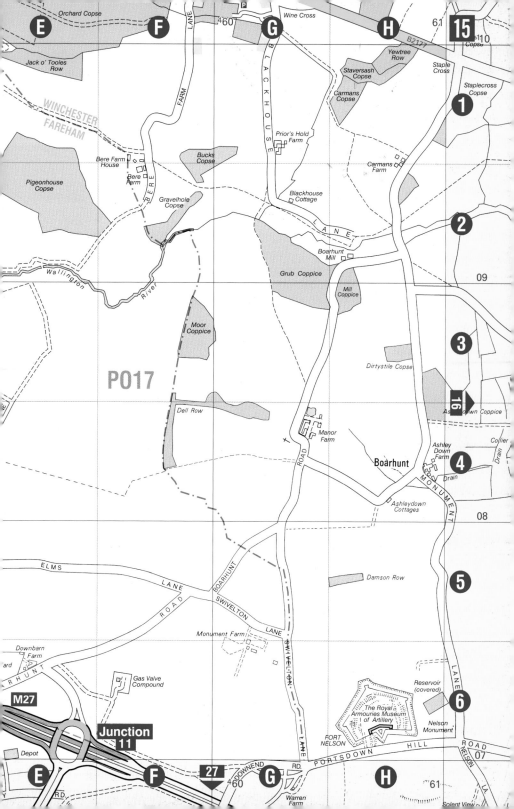

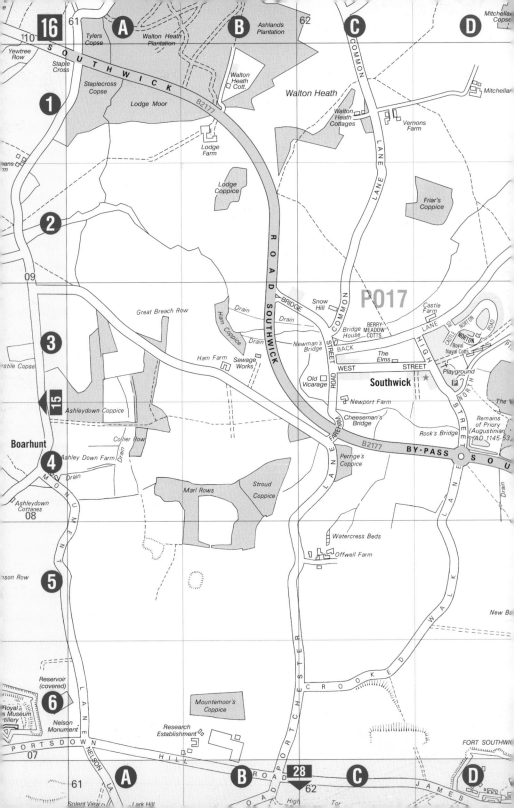

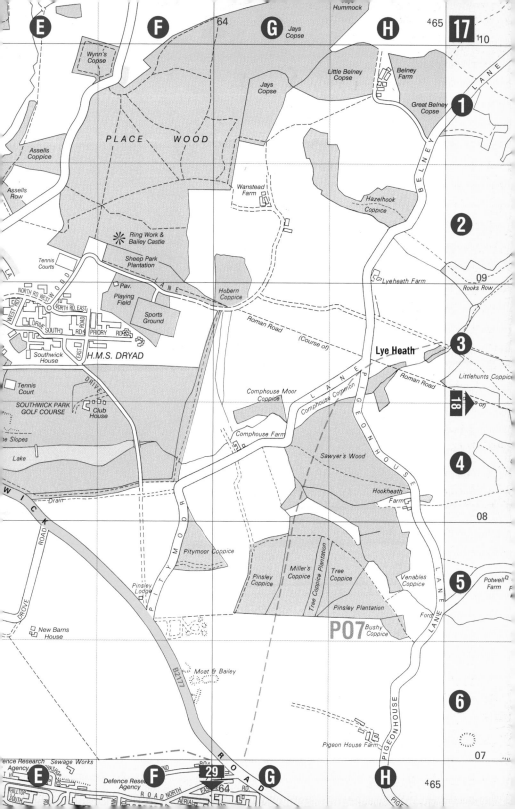

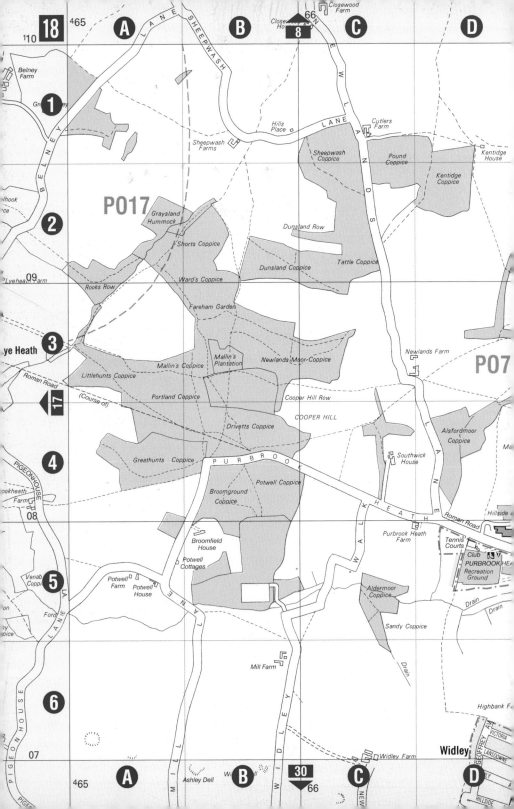

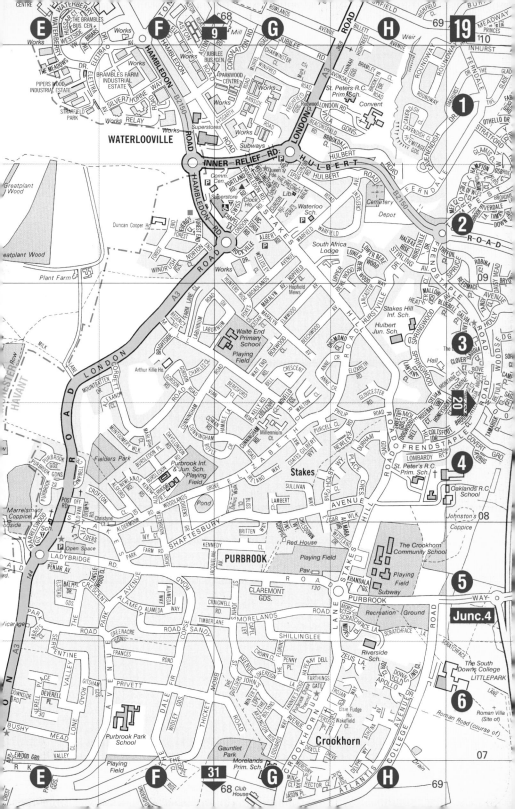

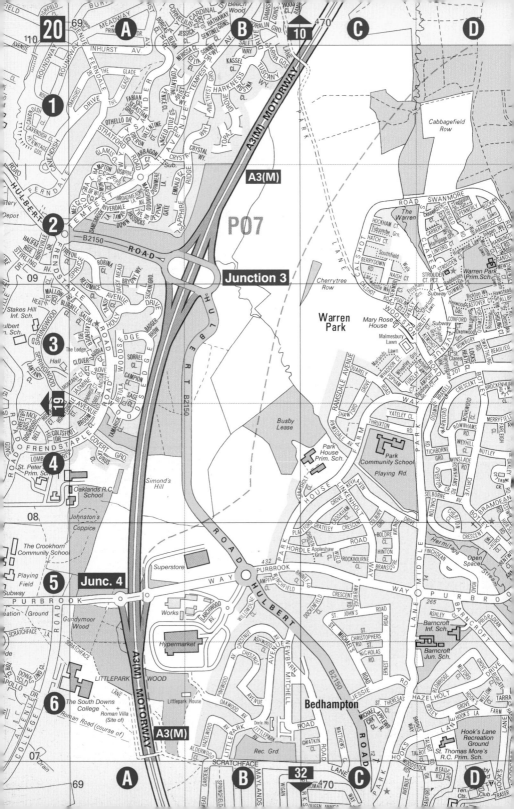

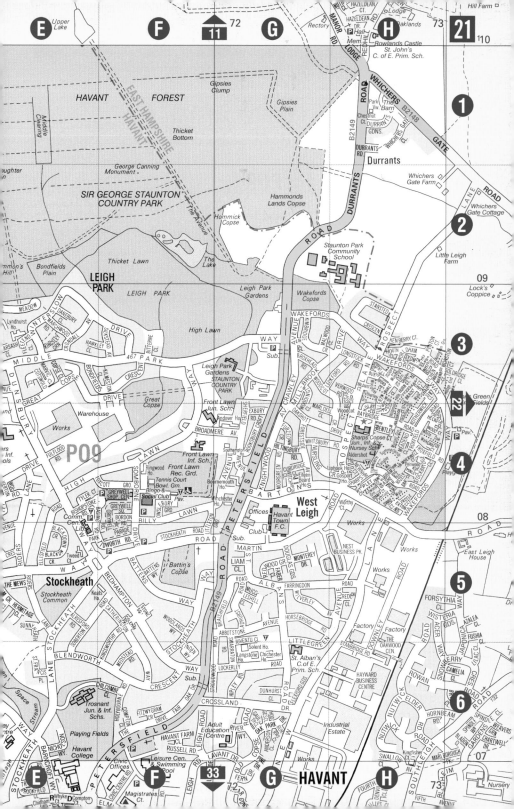

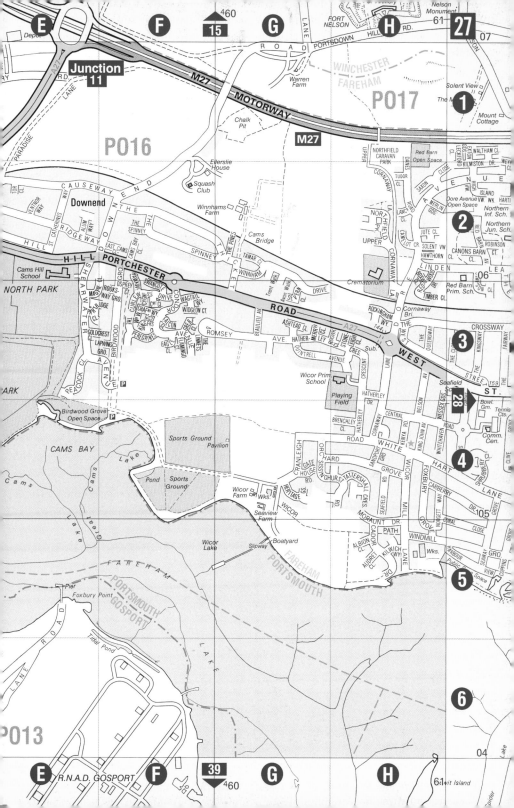

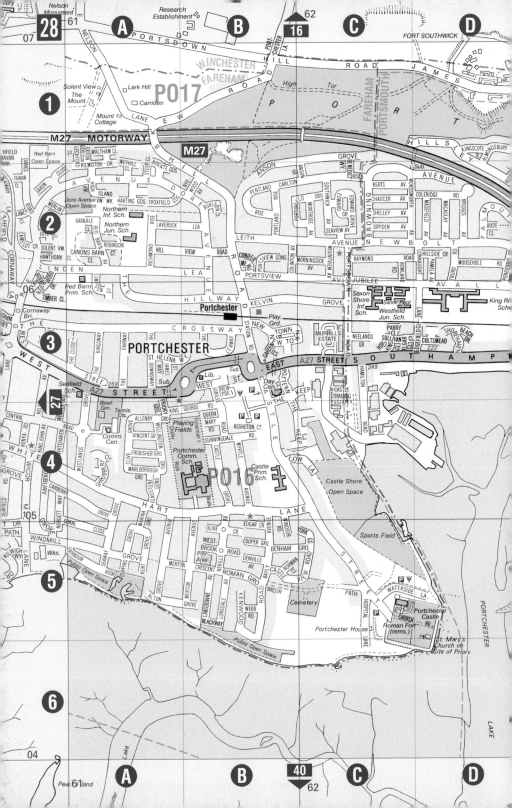

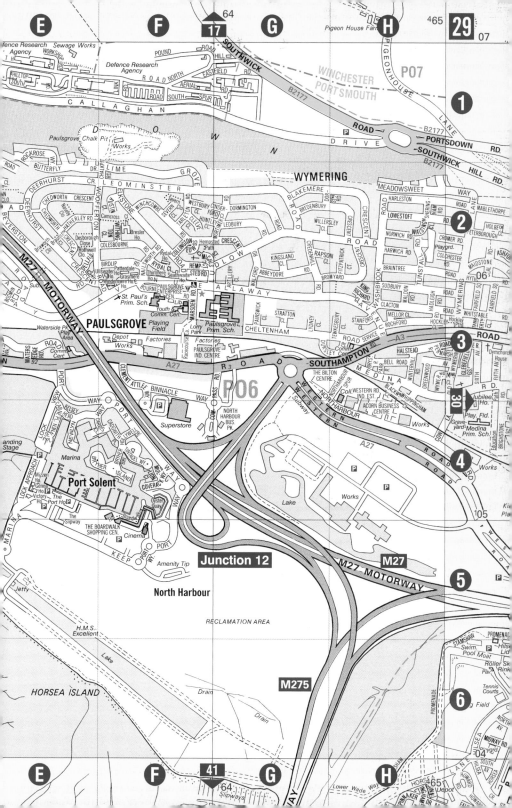

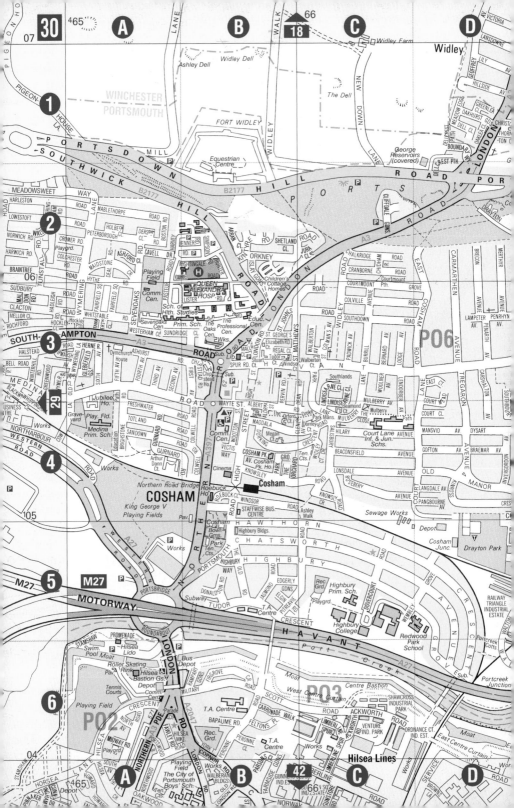

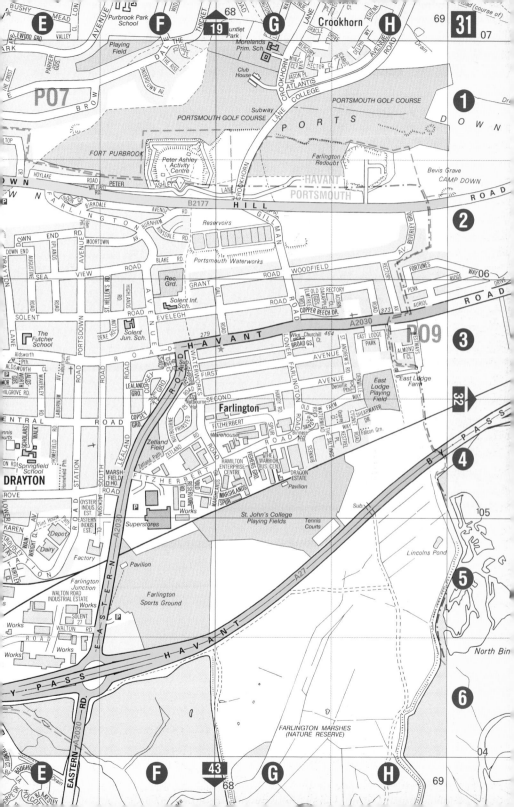

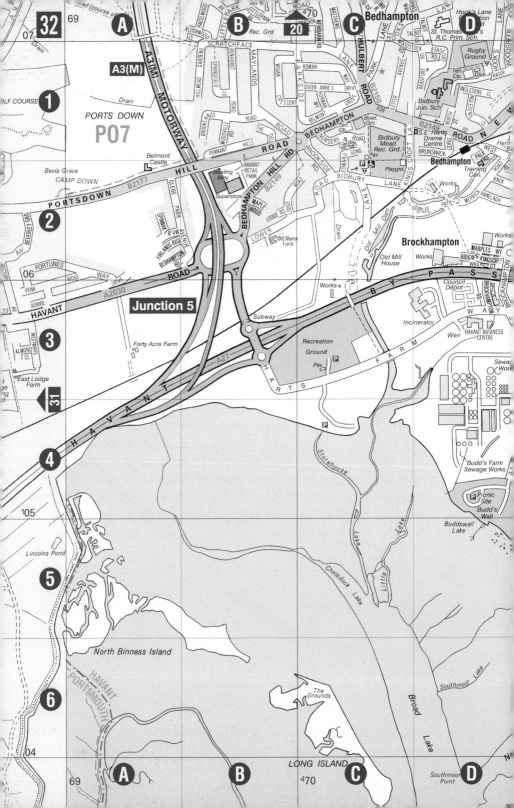

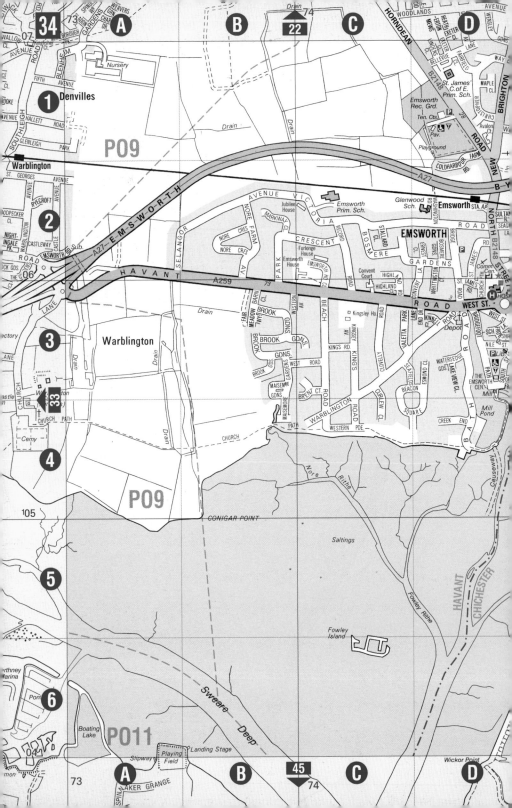

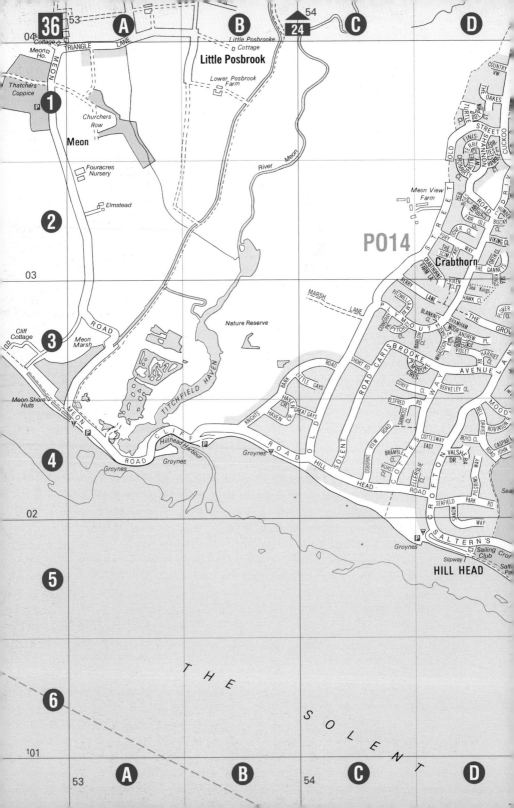

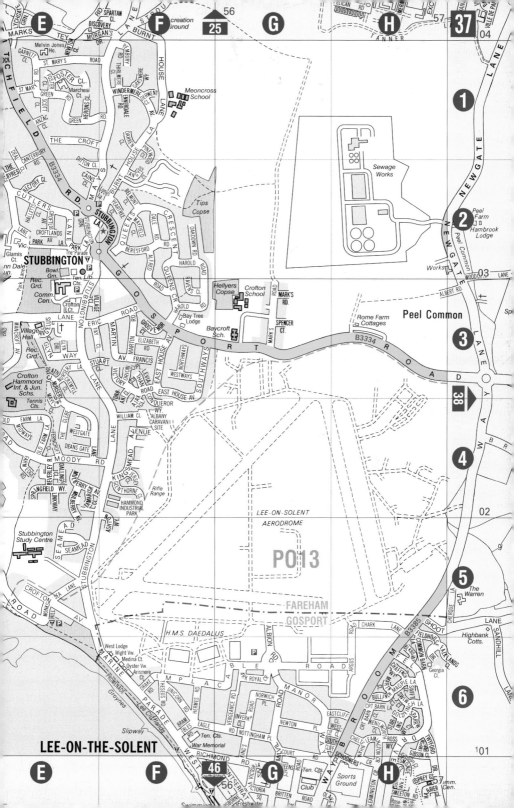

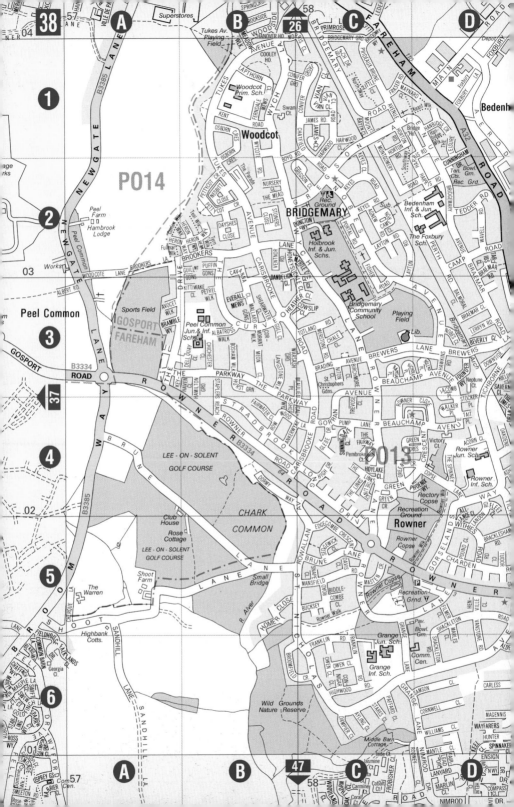

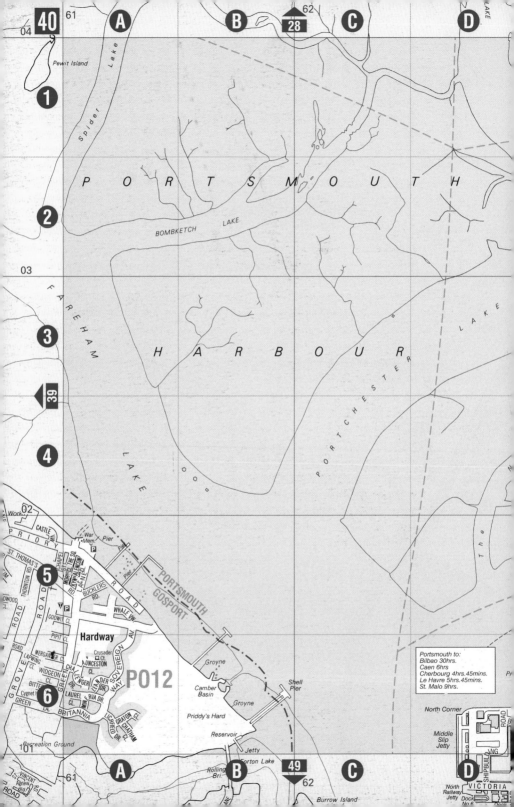

1

PO6

BOUGHTON CL.
Drain
BLACKESLEY LA.
THORPE LA.
TIFFIELD CL.
HOLCOT LA.
WGN.
ALTHORPE DR.
CLIPSTON RD.
CRICK CL.
FRETTON CL.
CRESCENT
LANT

Comm.
Cen.

Shut Lake

Seamus Pond

Sluice Lake

Superstore

New Milton Fishery

2

Kendalls Wharf

Works

Sports

Ground

BROOM CHANNEL

03

Slipway

Tudor Sailing Club

Pav.

BILTON BUSINESS PARK

ROBINSON RD.

BILTON

AIRSPEED RD.

KEEL CL.

Russell's Lake

3

WAY

ROAD

Mallard Lake

Drain

GREAT SALTERNS GOLF COURSE

L A N G S T O N E

H A R B O U R

Drain

HARBOUR SIDE CARAVAN & CAMPING SITE

MALLARD SANDS

4

02

Great Salterns Mansion

ROAD

Club House

Salterns Lake

Sword Sands

Driving Range

Great Salterns Lake

Great Salterns Quay

PORTSMOUTH   HAVANT

5

GREAT SALTERNS GOLF COURSE

The Lodge

Portsmouth College

SWORD SANDS PATH

SWORD SANDS RD.

ROAD

Sword Point

Langstone Channel

6

A2030

Frog Lake

Duck Lake

Milton Lak

101

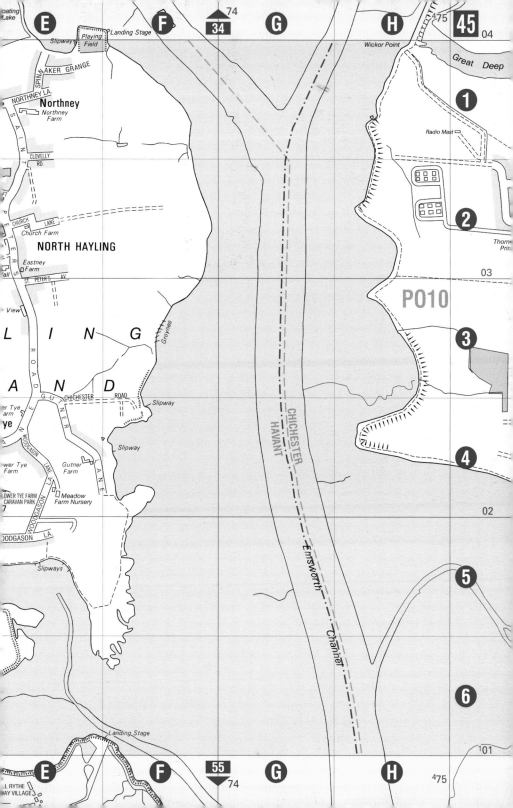

LEE-ON-THE-SOLENT

THE SOLENT

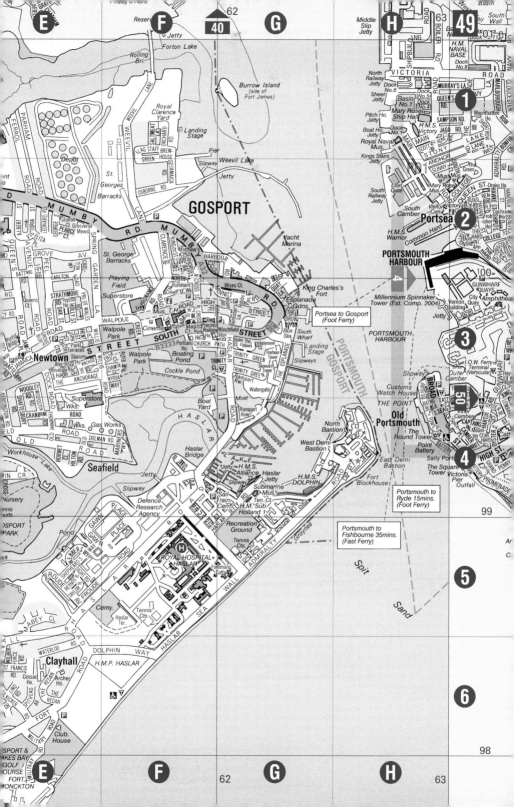

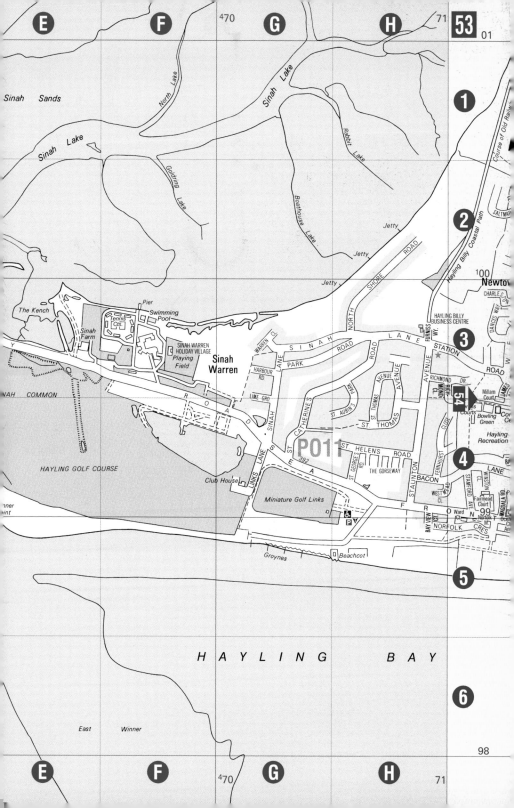

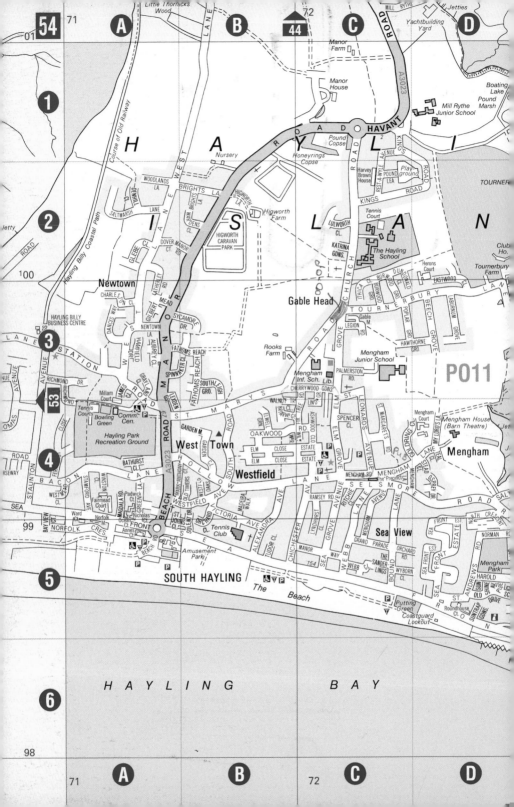

INDEX
Including Streets, Industrial Estates and Selected Subsidiary Addresses

HOW TO USE THIS INDEX

1. Each street name is followed by its Posttown or Postal Locality and then by its map reference; e.g. Abbeydore Rd. *Ports* —2G **29** is in the Portsmouth Postal Locality and is to be found in square 2G on page **29**. The page number being shown in bold type.
   A strict alphabetical order is followed in which Av., Rd., St., etc. (though abbreviated) are read in full and as part of the street name; e.g. Abbotstone Av. appears after Abbots Clo. but before Abbots Way.

2. Streets and a selection of Subsidiary names not shown on the Maps, appear in the index in *Italics* with the thoroughfare to which it is connected shown in brackets; e.g. *Addenbroke. Gos —3E 49 (off Willis Rd.)*

3. Map references shown in brackets; e.g. A'Becket Ct. *Ports* —3A **50** (5C **4**) refer to entries that also appear on the large scale pages 4 & 5.

GENERAL ABBREVIATIONS

All : Alley	Ct : Court	Lit : Little	Rd : Road
App : Approach	Cres : Crescent	Lwr : Lower	Shop : Shopping
Arc : Arcade	Cft : Croft	Mc : Mac	S : South
Av : Avenue	Dri : Drive	Mnr : Manor	Sq : Square
Bk : Back	E : East	Mans : Mansions	Sta : Station
Boulevd : Boulevard	Embkmt : Embankment	Mkt : Market	St : Street
Bri : Bridge	Est : Estate	Mdw : Meadow	Ter : Terrace
B'way : Broadway	Fld : Field	M : Mews	Trad : Trading
Bldgs : Buildings	Gdns : Gardens	Mt : Mount	Up : Upper
Bus : Business	Gth : Garth	Mus : Museum	Va : Vale
Cvn : Caravan	Ga : Gate	N : North	Vw : View
Cen : Centre	Gt : Great	Pal : Palace	Vs : Villas
Chu : Church	Grn : Green	Pde : Parade	Vis : Visitors
Chyd : Churchyard	Gro : Grove	Pk : Park	Wlk : Walk
Circ : Circle	Ho : House	Pas : Passage	W : West
Cir : Circus	Ind : Industrial	Pl : Place	Yd : Yard
Clo : Close	Info : Information	Quad : Quadrant	
Comn : Common	Junct : Junction	Res : Residential	
Cotts : Cottages	La : Lane	Ri : Rise	

POSTTOWN AND POSTAL LOCALITY ABBREVIATIONS

Bed : Bedhampton	*H'way* : Hardway	*Navy* : H M Naval Base	*Stub* : Stubbington
Cath : Catherington	*Hav* : Havant	*N Boar* : North Boarhunt	*Thor I* : Thorney Island
Clan : Clanfield	*Hay I* : Hayling Island	*Portc* : Portchester	*Titch* : Titchfield
Cosh : Cosham	*Hils* : Hilsea	*Ports* : Portsmouth	*Wars* : Warsash
Cowp : Cowplain	*Horn* : Horndean	*Port S* : Port Solent	*Water* : Waterlooville
Den : Denmead	*Ids* : Idsworth	*Prin* : Prinsted	*Westb* : Westbourne
Dray : Drayton	*Know* : Knowle	*Pur* : Purbrook	*White* : Whiteley
Ems : Emsworth	*Lang* : Langstone	*Row C* : Rowland's Castle	*Wick* : Wickham
Fare : Fareham	*Lee S* : Lee-on-the-Solent	*S'brne* : Southbourne	*Wid* : Widley
Farl : Farlington	*L Hth* : Locks Heath	*S'sea* : Southsea	*Wdcte* : Woodmancote
Gos : Gosport	*Love* : Lovedean	*S'wick* : Southwick	

INDEX

Abbas Grn. *Hav* —2D **20**
Abbeydore Rd. *Ports* —2G **29**
Abbeyfield Dri. *Fare* —1E **25**
Abbey Rd. *Fare* —1F **25**
Abbots Clo. *Water* —5E **19**
Abbotstone Av. *Hav* —5G **21**
Abbots Way. *Fare* —2F **25**
A'Becket Ct. *Ports*
    —3A **50** (5C **4**)
Aberdare Av. *Ports* —2D **30**
Aberdeen Clo. *Fare* —6G **13**
Abingdon Clo. *Gos* —3D **48**
Acacia Gdns. *Water* —2B **10**
Acer Way. *Hav* —5H **21**
Ackworth Rd. *Ports* —6C **30**
Acorn Bus. Cen. *Ports* —4H **29**
Acorn Clo. *Gos* —4D **38**
Acorn Clo. *Ports* —3H **31**
Acorn Gdns. *Water* —1B **10**
Acre La. *Water* —6C **10**
Adair Rd. *S'sea* —5G **51**
Adames Rd. *Ports* —1E **51**

Addenbroke. Gos —3E **49**
    (off Willis Rd.)
Adderbury Av. *Ems* —6D **22**
Addison Rd. *S'sea* —4E **51**
Adelaide Pl. *Fare* —2C **26**
Adhurst Rd. *Hav* —5G **21**
Admiral Pk. Ind. Est., The.
    Ports —2C **42**
Admiral's Corner. *S'sea*
    —5D **50**
Admirals Ct. *S'sea* —5C **50**
Admirals Wlk. *Gos* —4B **48**
Admiral's Wlk. *Ports*
    —1H **49** (1A **4**)
Admiralty Rd. *Gos* —5G **49**
Admiralty Rd. *Ports*
    —2A **50** (2B **4**)
Adsdean Clo. *Hav* —5E **21**
Adstone La. *Ports* —1E **43**
Adur Clo. *Gos* —6F **39**
Aerial Rd. *S'wick* —1F **29**
Aerodrome Rd. *Gos* —1D **38**

Agincourt Rd. *Ports* —6H **41**
Agnew Ho. *Gos* —1D **48**
Agnew Rd. *Gos* —2C **38**
Ainsdale Rd. *Ports* —2F **31**
Aintree Dri. *Water* —6B **10**
Airport Ind. Est. *Ports* —2D **42**
Airport Service Rd. *Ports*
    —1C **42**
Airspeed Rd. *Ports* —3E **43**
Ajax Clo. *Fare* —4F **37**
Alameda Rd. *Water* —5F **19**
Alameda Way. *Water* —5F **19**
Alan Gro. *Fare* —1G **25**
Albany Cvn. Site. *Fare* —4F **37**
Albany Ct. *Gos* —3D **48**
Albany Rd. *S'sea* —4D **50**
Albatross Wlk. *Gos* —3B **38**
Albemarle Av. *Gos* —6H **39**
Albert Gro. *S'sea* —4D **50**
Albert Rd. *Cosh* —4B **30**
Albert Rd. *Fare* —3H **37**
Albert Rd. *S'sea* —4D **50**

Albert Rd. *Water* —2G **19**
Albert St. *Gos* —2E **49**
Albion Clo. *Fare* —5H **27**
Albion Rd. *Lee S* —5G **37**
Albretia Av. *Water* —4F **9**
Alchorne Pl. *Ports* —2D **42**
Alder La. *Gos* —2H **47**
Aldermoor Rd. *Gos* —6D **38**
Aldermoor Rd. *Water* —5F **19**
Aldermoor Rd. E. *Water*
    —4F **19**
Aldershot Ho. *Hav* —4H **21**
Alders Rd. *Fare* —4B **26**
Alderwood Clo. *Hav* —6B **20**
Aldrich Rd. *Navy* —1A **50**
Aldridge Clo. *Water* —2G **7**
Aldroke St. *Ports* —4B **30**
Aldsworth Clo. *Ports* —3E **31**
Aldsworth Gdns. *Ports* —3E **31**
Aldsworth Path. *Ports* —3E **31**
Aldwell St. *S'sea*
    —3D **50** (4H **5**)

Alec Rose Ho. *Gos* —3E **49**
Alec Rose La. *Ports*
—2C **50** (3F **5**)
Alecto Rd. *Gos* —4D **48**
Alencon Clo. *Gos* —5A **40**
Alexander Clo. *Water* —3F **19**
Alexander Gro. *Fare* —3A **26**
Alexandra Av. *Hay I* —5B **54**
Alexandra Ho. *Ports*
—3B **50** (5D **4**)
Alexandra Rd. *Ports*
—1D **50** (1H **5**)
Alexandra St. *Gos* —1C **48**
Alfred Rd. *Fare* —2F **37**
Alfred Rd. *Ports* —2B **50** (2E **5**)
Alfrey Clo. *Ems* —3H **35**
Algiers Rd. *Ports* —5D **42**
Alhambra Rd. *S'sea* —6E **51**
Allaway Av. *Ports* —3D **28**
Allbrook Ct. *Hav* —3D **20**
Allcot Rd. *Ports* —3B **42**
Allenby Gro. *Fare* —4A **28**
Allenby Rd. *Gos* —1A **48**
Allendale Av. *Ems* —6C **22**
Allen's Rd. *S'sea* —5E **51**
Alliance Clo. *Gos* —4D **38**
Allmara Dri. *Water* —5H **19**
All Saints St. *Ports* —1C **50**
Alma St. *Gos* —1C **48**
Alma Ter. *S'sea* —4G **51**
Almond Clo. *Hav* —1H **31**
Almond Clo. *Water* —3C **10**
Almondsbury Rd. *Ports*
—1D **28**
Almondside. *Gos* —4D **38**
Alphage Rd. *Gos* —4F **39**
Alresford Rd. *Hav* —5E **21**
Alsford Rd. *Water* —4F **19**
Alten Rd. *Water* —5E **9**
Althorpe Dri. *Ports* —1E **43**
Alton Gro. *Fare* —5A **28**
Alum Way. *Fare* —2E **27**
Alvara Rd. *Gos* —5C **48**
Alver Bri. Vw. *Gos* —4D **48**
Alvercliffe Dri. *Gos* —5B **48**
Alver Quay. *Gos* —4D **48**
Alver Rd. *Gos* —3D **48**
Alver Rd. *Ports* —1E **51**
Alverstone Rd. *S'sea* —2G **51**
Alveston Av. *Fare* —3F **25**
Amarylis Clo. *Fare* —5A **12**
Amberley Rd. *Clan* —2H **7**
Amberley Rd. *Gos* —5G **39**
Amberley Rd. *Ports* —2B **42**
Ambleside Ct. *Gos* —6C **48**
Amersham Clo. *Gos* —3A **48**
Amethyst Gro. *Water* —1B **20**
Ampfield Clo. *Hav* —5B **20**
Amport Ct. *Hav* —3D **20**
Amyas Ct. *S'sea* —3A **52**
Anchorage Rd. *Ports* —2D **42**
Anchorage, The. *Gos* —3E **49**
Anchor Ga. *Ports*
—1B **50** (1D **4**)
Anchor Ga. Rd. *Navy*
—1A **50** (1D **4**)
Anchor La. *Ports*
—2H **49** (2A **4**)
Anderson Clo. *Hav* —6G **21**
Andover Ho. *Hav* —4G **21**
Andover Rd. *S'sea* —5F **51**
Andrew Bell St. *Ports* —1C **50**
Andrew Clo. *Ports* —1F **51**
Andrew Cres. *Water* —5F **9**
Andrew Pl. *Fare* —3D **36**
Angelica Ct. *Water* —3A **20**
Angelica Way. *White* —1A **12**
Angelo Clo. *Water* —1A **20**
Angelus Clo. *Fare* —3E **37**

Angerstein Rd. *Ports* —4H **41**
Anglesea Building. *Ports*
—2B **50** (3D **4**)
Anglesea Rd. *Lee S* —3E **47**
Anglesea Rd. *Ports*
—2B **50** (2E **5**)
Anglesey Arms Rd. *Gos*
—5C **48**
Anglesey Rd. *Gos* —6C **48**
Anglesey Vw. *Gos* —4D **48**
Angmering Ho. *Ports*
—2C **50** (2G **5**)
Angus Clo. *Fare* —6G **13**
Anjou Cres. *Fare* —2H **9**
Anker La. *Fare* —1E **37**
Ankerwyke. *Gos* —4B **38**
Anmore Clo. *Hav* —5D **20**
Anmore Dri. *Water* —5F **9**
Anmore La. *Water* —3D **8**
Anmore Rd. *Water* —3D **8**
Anne Cres. *Water* —3G **19**
Annes Ct. *Hay I* —5A **54**
Ann's Hill Rd. *Gos* —1C **48**
Anson Clo. *Gos* —2H **47**
Anson Gro. *Fare* —2B **28**
Anson Rd. *S'sea* —2G **51**
Anthony Gro. *Gos* —4F **39**
Anthony Way. *Ems* —6D **22**
Anvil Clo. *Water* —5C **10**
Anvil Ct. *S'sea* —3H **51**
Anzac Clo. *Fare* —1E **37**
Apex Cen. *Fare* —6A **26**
Apollo Ct. *S'sea* —3D **50** (5G **5**)
Apollo Dri. *Water* —6H **19**
Applegate Pl. *Water* —1A **10**
Apple Gro. *Ems* —3F **35**
Appleshaw Grn. *Hav* —5C **20**
Appleton Rd. *Fare* —2E **25**
Applewood Gro. *Water* —6E **19**
Applewood Rd. *Hav* —6C **20**
Approach, The. *Ports* —4C **42**
April Sq. *Ports* —1D **50** (1H **5**)
Apsley Rd. *S'sea* —3G **51**
Archer Ho. *Gos* —6E **49**
Archery La. *Fare* —1C **26**
Arden Clo. *Gos* —3B **48**
Ardington Ri. *Water* —6G **19**
Argus Rd. *Lee S* —6H **37**
Argyle Cres. *Fare* —1G **25**
Ariel Rd. *Ports* —2E **51**
Arismore Ct. *Lee S* —6F **37**
Ark Royal Cres. *Lee S* —6G **37**
Arle Clo. *Water* —1C **6**
Arminers Clo. *Gos* —6D **48**
Armory La. *Ports*
—3A **50** (5C **4**)
Armstrong Clo. *Water* —5F **9**
Arnaud Clo. *Ports* —6H **41**
Arnside Rd. *Water* —1G **19**
Arragon Ct. *Water* —1A **20**
Arran Clo. *Ports* —2B **30**
Arras Ho. *Fare* —1E **25**
Arreton Ct. *Gos* —2C **48**
Arthur Dann Ct. *Ports* —4A **30**
Arthur Kille Ho. *Water* —3F **19**
Arthur Pope Ho. *S'sea*
—3D **50** (4H **5**)
Arthur St. *Ports* —6A **42**
Artillery Clo. *Ports* —2G **29**
Arundel Dri. *Fare* —1A **26**
Arundel Rd. *Gos* —2B **48**
Arundel St. *Ports*
—2C **50** (2F **5**)
Arundel Way. *Ports*
—2C **50** (2G **5**)
Ascot Rd. *Ports* —6C **42**
Ashburton Ct. *S'sea* —4C **50**
(off Ashburton Rd.)
Ashburton Rd. *Gos* —5B **48**

Ashburton Rd. *S'sea* —5C **50**
Ashby Pl. *Gos* —3F **49**
Ashby Pl. *S'sea* —5C **50**
Ash Clo. *Fare* —3G **25**
Ash Clo. *Gos* —3D **48**
Ash Clo. *Water* —4G **9**
Ash Copse. *Water* —2H **9**
Ashdown. *Gos* —4D **38**
Ashe Rd. *Hav* —4H **21**
Ashford Clo. *Ports* —2A **30**
Ashington Clo. *Water* —3A **10**
Ashlett Lawn. *Hav* —3D **20**
Ashley Clo. *Hav* —5D **20**
Ashley Clo. *Water* —2H **9**
Ashley Ct. *Gos* —2C **48**
Ashley Wlk. *Ports* —4C **30**
Ashling Clo. *Water* —3B **8**
Ashling Gdns. *Water* —2B **8**
Ashling La. *Ports* —4H **41**
Ashling Pk. Rd. *Water* —2B **8**
Ashlyn Clo. *Fare* —2E **25**
Ashtead Clo. *Fare* —3G **27**
Ashton Way. *Fare* —5F **37**
Ashurst Ct. *Gos* —4H **47**
Ashurst Rd. *Ports* —3A **30**
Ashwood. *White* —4A **12**
Ashwood Clo. *Hav* —5B **20**
Ashwood Clo. *Hay I* —4C **54**
Ashwood Lodge. *Fare* —1B **26**
(off Northwood Sq.)
Aspengrove. *Gos* —4D **38**
Aspen Way. *Water* —2A **10**
Assheton Ct. *Fare* —4B **28**
Astley St. *S'sea* —3C **50** (5E **5**)
Aston Rd. *S'sea* —4F **51**
Aston Rd. *Water* —6F **9**
Astra Wlk. *Gos* —3F **49**
Astrid Clo. *Hay I* —4E **55**
Atalanta Clo. *S'sea* —2A **52**
Athena Av. *Water* —6H **19**
Atherley Rd. *Hay I* —3A **54**
Atherstone Wlk. *S'sea*
—3C **50** (5F **5**)
Atkinson Clo. *Gos* —5C **48**
Atkins Pl. *Fare* —6E **13**
Atlantis Av. *Water* —1G **31**
Aubrey Clo. *Hay I* —3A **54**
Auckland Rd. E. *S'sea* —5C **50**
Auckland Rd. W. *S'sea* —5C **50**
Audret Clo. *Fare* —5H **27**
Augustine Rd. *Cosh* —2E **31**
Auriol Dri. *Hav* —3H **31**
Austerberry Way. *Gos* —5D **38**
Austin Ct. *Ports* —2F **29**
Australia Clo. *Ports*
—2D **50** (2H **5**)
Aust Rd. *Fare* —3F **25**
Avalon Ct. *Ems* —1D **34**
Avenue Ct. *Gos* —5C **48**
Avenue De Caen. *S'sea* —6C **50**
Avenue Rd. *Fare* —2H **25**
Avenue Rd. *Gos* —2E **49**
Avenue Rd. *Hay I* —2B **44**
Avenue, The. *Fare* —3D **24**
Avenue, The. *Gos* —5C **48**
Avery La. *Gos* —6F **39**
Avington Grn. *Hav* —3H **21**
Avocet Clo. *S'sea* —2H **51**
Avocet Ho. *S'sea* —2H **51**
Avocet Quay. *Ems* —4E **35**
Avocet Wlk. *Gos* —3A **38**
Avocet Way. *Water* —6A **6**
Avon Clo. *Lee S* —2D **46**
Avondale Rd. *Ports* —1F **51**
Avondale Rd. *Water* —1H **19**
Avon Wlk. *Fare* —3G **27**
Awbridge Rd. *Hav* —5C **20**
Aylen Rd. *Ports* —3C **42**
Aylesbury Rd. *Ports* —5B **42**

Ayling Clo. *Gos* —6C **38**
Aylward St. *Ports*
—2A **50** (2C **4**)
Aysgarth Rd. *Water* —1G **19**
Azalea Clo. *Hav* —5A **22**

Back La. *S'wick* —3C **16**
Bacon La. *Hay I* —4H **53**
Baddesley Gdns. *Hav* —2D **20**
Bader Way. *White* —4A **12**
Badger Brow. *Water* —3A **20**
Badger Clo. *Fare* —1F **25**
Badger Rd. *Fare* —6H **25**
Baffins Rd. *Ports* —1G **51**
Bagot Ho. *Gos* —6F **39**
Bailey's Rd. *S'sea*
—3D **50** (4H **5**)
Baker St. *Ports* —6H **41**
Balchin Ho. *Ports* —2C **4**
Balderton Clo. *Ports* —1B **42**
Balfour Clo. *Gos* —1H **47**
Balfour Rd. *Ports* —4A **42**
Ballard Ct. *Gos* —3D **48**
Balliol Rd. *Ports* —5A **42**
Balmoral Clo. *Gos* —3D **38**
Balmoral Dri. *Water* —5E **19**
Balmoral Rd. *Fare* —6G **13**
Bankside. *Gos* —5B **48**
Bapaume Rd. *Ports* —6B **30**
Barclay Ho. *Gos* —3G **49**
(off Trinity Grn., in two parts)
Bardon Way. *Fare* —3F **25**
Barfleur Clo. *Fare* —1F **25**
Barfleur Rd. *Fare* —6A **26**
Barham Clo. *Gos* —1D **48**
Barham Way. *Ports* —1H **41**
Barkis Ho. *Ports* —6H **41**
Barlow Clo. *Fare* —3D **36**
Barn Clo. *Ems* —3B **34**
Barncroft Way. *Hav* —5D **20**
Barnes Rd. *Ports* —1E **51**
Barnes Wallis Rd. *Fare*
—5A **12**
Barnes Way. *Hav* —6D **20**
Barney Evans Cres. *Water*
—4F **9**
Barnfield Clo. *Ems* —2H **35**
Barnfield Ct. *Fare* —3G **25**
Barn Fold. *Water* —6B **10**
Barn Grn. Clo. *Water* —3B **8**
Barnwood Rd. *Fare* —2F **25**
Baronsmere Ct. *Gos* —3C **48**
Barracks Rd. *S'sea* —5A **52**
Barrington Ho. *Ports* —6H **41**
Barrington Ter. *S'sea* —6F **5**
Bartlett Clo. *Fare* —6G **13**
Barton Cross. *Water* —6B **6**
Barton Gro. *Ports* —2D **42**
Bartons Rd. *Hav* —4G **21**
Barwell Gro. *Ems* —6C **22**
Basing Rd. *Hav* —4E **21**
Basin St. *Ports* —5H **41**
Bassett Wlk. *Hav* —3D **20**
Bath & Wells Ct. *Gos* —1G **47**
Bathing La. *Ports*
—4H **49** (5A **4**)
Bath La. *Fare* —2C **26**
Bath La. Cotts. *Fare* —3C **26**
Bath La. Lwr. *Fare* —2C **26**
Bath Rd. *Ems* —4D **34**
Bath Rd. *S'sea* —4F **51**
Bath Sq. *Ports* —3H **49** (5A **4**)
Bathurst Clo. *Hay I* —4A **54**
Bathurst Way. *Ports* —3F **41**
Battenburg Av. *Ports* —3A **42**
Battenburg Rd. *Gos* —2E **49**
Battens Way. *Hav* —5F **21**
Battery Clo. *Gos* —5F **39**

Battery Promenade. *Ports* —4H **49** (6A **4**)
Battery Row. *Ports* —4A **50** (6B **4**)
Baybridge Rd. *Hav* —4H **21**
Bayfields. *S'sea* —5C **50** (off Shaftesbury Rd.)
Bayly Av. *Fare* —5B **28**
Bay Rd. *Gos* —4B **48**
Bayswater Ho. *S'sea* —4D **50**
Baythorn Clo. *Ports* —6H **41**
Bay Tree Lodge. *Fare* —3F **37**
Bayview Ct. *Hay I* —5H **53**
Beach Dri. *Ports* —3D **28**
Beach Rd. *Ems* —3C **34**
Beach Rd. *Hay I* —5A **54** (in two parts)
Beach Rd. *Lee S* —2C **46**
Beach Rd. *S'sea* —6D **50**
Beachway. *Fare* —5B **28**
Beaconsfield Av. *Ports* —4C **30**
Beaconsfield Rd. *Fare* —3B **26**
Beaconsfield Rd. *Water* —1G **19**
Beacon Sq. *Ems* —3C **34**
Beamond Ct. *Ports* —4C **30**
Beatrice Rd. *S'sea* —5E **51**
Beatty Dri. *Gos* —5B **48**
Beatty Ho. *Ports* —1H **5**
Beauchamp Av. *Gos* —3C **38**
Beaufort Av. *Fare* —6H **13**
Beaufort Rd. *Hav* —1D **32**
Beaufort Rd. *S'sea* —6D **50**
Beaulieu Av. *Fare* —3G **27**
Beaulieu Av. *Hav* —3D **20**
Beaulieu Pl. *Gos* —3C **38**
Beaulieu Rd. *Ports* —4A **42**
Beaumont Clo. *Fare* —6F **13**
Beaumont Ct. *Gos* —5G **39**
Beaumont Ri. *Fare* —5F **13**
Beck St. *Ports* —2B **50** (2D **4**)
Bedenham La. *Gos* —2D **38** (in three parts)
Bedford Clo. *Hav* —3H **33**
Bedford St. *Gos* —1C **48**
Bedford St. *S'sea* —3C **50** (4F **5**)
Bedhampton Hill. *Hav* —2A **32** (in two parts)
Bedhampton Hill Rd. *Hav* —2B **32**
Bedhampton Ho. *Ports* —1H **5**
Bedhampton Rd. *Hav* —1C **32**
Bedhampton Rd. *Ports* —5B **42**
Bedhampton Way. *Hav* —5F **21**
Beecham Rd. *Ports* —6A **42**
Beech Clo. *Water* —5H **9**
Beechcroft Clo. *Fare* —2D **24**
Beechcroft Rd. *Gos* —4C **48**
Beech Gro. *Gos* —4C **48**
Beech Gro. *Hay I* —3D **54**
Beech Rd. *Fare* —1G **25**
Beech Rd. *Water* —2G **7**
Beech Way. *Water* —2B **10**
Beechwood Av. *Water* —3G **19**
Beechwood Lodge. *Fare* —1B **26**
Beechwood Rd. *Ports* —1A **42**
Beechworth Rd. *Hav* —2F **33**
Beehive Wlk. *Ports* —3A **50** (5C **4**)
Beeston Ct. *Ports* —6A **42**
Behrendt Clo. *Gos* —1C **48**
Belgravia Rd. *Ports* —4B **42**
Bellair Ho. *Hav* —2G **33**
Bellair Rd. *Hav* —2G **33**
Bell Cres. *Water* —3G **19**
Bell Davies Rd. *Fare* —4D **36**
Bellevue La. *Ems* —1D **34**

Bellevue Ter. *S'sea* —4B **50**
Bellfield. *Fare* —4B **24**
Bellflower Way. *Fare* —6B **12**
Bell Rd. *Ports* —3H **29**
Bells La. *Fare* —3E **37**
Belmont Clo. *Fare* —2F **37**
Belmont Clo. *Water* —2C **6**
Belmont Gro. *Hav* —1C **32**
Belmont Pl. *S'sea* —4C **50** (6G **5**)
Belmont St. *S'sea* —4C **50** (6G **5**)
Belmore Clo. *Ports* —6A **42**
Belney La. *S'wick* —2H **17**
Belvoir Clo. *Fare* —2A **26**
Bembridge Ct. *Hay I* —6E **55**
Bembridge Cres. *Fare* —5B **28**
Bembridge Dri. *Hay I* —6E **55**
Bembridge Lodge. *Lee S* —2C **46**
Bemister's La. *Gos* —3G **49**
Benbow Clo. *Water* —6C **6**
Benbow Ho. *Ports* —2B **4**
Benbow Pl. *Ports* —2A **50** (2B **4**)
Benedict Way. *Fare* —2C **28**
Beneficial St. *Ports* —2A **50** (2B **4**)
Benham Dri. *Ports* —1B **42**
Benham Gro. *Fare* —5B **28**
Bentham Rd. *Gos* —4D **48**
Bentley Clo. *Water* —5C **6**
Bentley Ct. *Hav* —4H **21**
Bentley Cres. *Fare* —1H **25**
Bentworth Clo. *Hav* —5D **20**
Bere Farm La. *N Boar* —2F **15**
Bere Rd. *Water* —3B **8**
Beresford Clo. *Water* —3G **19**
Beresford Rd. *Fare* —2F **37**
Beresford Rd. *Ports* —4A **42**
Berkeley Clo. *Fare* —3D **36**
Berkeley Ct. *Lee S* —2D **46**
Berkeley Sq. *Hav* —2H **33**
Berkshire Clo. *Ports* —2D **50**
Bernard Av. *Ports* —3C **30**
Bernard Powell Ho. *Hav* —2G **33**
Berney Rd. *S'sea* —3A **52**
Bernina Av. *Water* —5E **9**
Bernina Clo. *Water* —5E **9**
Berrydown Rd. *Hav* —2C **20**
Berry La. *Fare* —3C **36**
Berry Mdw. Cotts. *S'wick* —3C **16**
Bertie Rd. *S'sea* —3H **51**
Berwyn Wlk. *Fare* —3G **25**
Beryl Av. *Gos* —5F **39**
Beryton Clo. *Gos* —1C **48**
Beryton Rd. *Gos* —1C **48**
Bettesworth Rd. *Ports* —6A **42**
Betula Clo. *Water* —3A **20**
Bevan Rd. *Water* —2H **9**
Beverley Gro. *Ports* —2H **31**
Beverley Rd. *Fare* —4E **37**
Beverly Clo. *Gos* —3D **38**
Beverston Rd. *Ports* —2E **29**
Bevis Rd. *Gos* —2D **48**
Bevis Rd. *Ports* —4H **41**
Bevis Rd. N. *Ports* —4H **41**
Bickton Wlk. *Hav* —3D **20**
Bidbury La. *Hav* —2C **32**
Biddlecombe Clo. *Gos* —5C **38**
Biggin Wlk. *Fare* —3G **25**
Billett Av. *Water* —6H **9**
Billing Clo. *S'sea* —4H **51**
Bill Stillwell Ct. *Ports* —3G **41**
Billy Lawn Av. *Hav* —4F **21**
Bilton Bus. Pk. *Ports* —2E **43**
Bilton Cen., The. *Ports* —3G **29**

Bilton Way. *Ports* —3E **43**
Binnacle Way. *Ports* —3F **29**
Binness Path. *Ports* —4G **31**
Binness Way. *Ports* —4G **31**
Binsteed Rd. *Ports* —5A **42**
Birch Clo. *Water* —4G **9**
Birch Dri. *Gos* —1C **38**
Birchmore Clo. *Gos* —3C **38**
Birch Tree Clo. *Ems* —5D **22**
Birch Tree Dri. *Ems* —5D **22**
Birchwood Lodge. *Fare* (off Northwood Sq.) —1B **26**
Birdham Rd. *Hay I* —5G **55**
Birdlip Clo. *Water* —1A **10**
Birdlip Rd. *Ports* —2F **29**
Birdwood Gro. *Fare* —3F **27**
Birkdale Av. *Ports* —2E **31**
Birmingham Ct. *Gos* —2H **47**
Biscay Clo. *Fare* —2D **36**
Bishopsfield Rd. *Fare* —4G **25**
Bishopstoke Rd. *Hav* —4E **21**
Bishop St. *Ports* —2A **50** (2C **4**)
Bittern Clo. *Gos* —6H **39**
Bitterne Clo. *Hav* —3F **21**
Blackberry Clo. *Water* —1D **6**
Blackbird Clo. *Water* —3H **9**
Blackbird Way. *Lee S* —6H **37**
Blackbrook Bus. Pk. *Fare* —2G **25**
Blackbrook Ho. Dri. *Fare* —2G **25**
Blackbrook Pk. Av. *Fare* —2G **25**
Blackbrook Rd. *Fare* —1E **25**
Blackburn Ct. *Gos* —2H **47**
Blackcap Clo. *Row C* —6G **11**
Blackdown Cres. *Hav* —5E **21**
Blackfriars Clo. *S'sea* —3D **50** (4H **5**)
Blackfriars Rd. *S'sea* —2D **50** (3H **5**)
Blackhouse La. *N Boar* —1G **15**
Blackmoor Wlk. *Hav* —4H **21**
Blackthorn Clo. *Gos* —4G **39**
Blackthorn Dri. *Hay I* —4E **55**
Blackthorn Rd. *Hay I* —4E **55**
Blackthorn Rd. *Water* —3C **6**
Blackthorn Ter. *Ports* —1B **50** (1C **4**)
Blackthorn Wlk. *Water* —6B **10** (off Barn Fold)
Blackwater Clo. *Ports* —3H **29**
Blackwood Ho. *Ports* —6H **41**
Bladon Clo. *Hav* —6A **22**
Blair Atholl Ri. *Fare* —1H **25**
Blake Clo. *Gos* —3G **49**
Blakemere Cres. *Ports* —2G **29**
Blake Rd. *Gos* —2E **49**
Blake Rd. *Ports* —2F **31**
Blakesley La. *Ports* —1E **43**
Blankney Clo. *Fare* —3D **36**
Blaven Wlk. *Fare* —3G **25**
Blendworth Cres. *Hav* —6E **21**
Blendworth Ho. *Ports* —1H **5**
Blendworth La. *Horn* —6D **6**
Blendworth Rd. *S'sea* —2H **51**
Blenheim Ct. *S'sea* —4G **51**
Blenheim Gdns. *Gos* —5H **39**
Blenheim Gdns. *Hav* —1H **33**
Blenheim Rd. *Water* —2A **10**
Bleriot Cres. *White* —4A **12**
Bliss Clo. *Water* —4G **19**
Blissford Clo. *Hav* —4H **21**
Blossom Sq. *Ports* —1A **50** (1C **4**)
Blount Rd. *Ports* —4B **50** (6D **4**)
Bluebell Clo. *Water* —3H **19**

Blueprint Portfield Rd. *Ports* —3C **42**
Boardwalk Shop. Cen., The. *Port S* —5E **29**
Boardwalk, The. *Port S* —4F **29**
Boarhunt Clo. *Ports* —2D **50** (2H **5**)
Boarhunt Rd. *Fare* —6E **15**
Boatyard Ind. Est., The. *Fare* —3B **26**
Bodmin Rd. *Ports* —3E **29**
Boiler Rd. *Ports* —6D **40**
Bolde Clo. *Ports* —2D **42**
Boldens Rd. *Gos* —6D **48**
Boldre Clo. *Hav* —5C **20**
Boltons, The. *Water* —6G **19**
Bonchurch Rd. *S'sea* —2G **51**
Bondfields Cres. *Hav* —3E **21**
Bonfire Corner. *Ports* —1A **50** (1B **4**)
Bordon Rd. *Hav* —4F **21**
Bosham Rd. *Ports* —5B **42**
Bosham Wlk. *Gos* —3B **38**
Bosmere Gdns. *Ems* —2C **34**
Bosmere Rd. *Hay I* —5G **55**
Boston Rd. *Ports* —2A **30**
Bosuns Clo. *Fare* —5B **26**
Botley Dri. *Hav* —3D **20**
Boughton Ct. *Ports* —1E **43**
Boulter La. *S'wick* —2E **17**
Boulton Rd. *S'sea* —4E **51**
Boundary Way. *Hav* —2E **33**
Boundary Way. *Ports* —1D **30**
Bound La. *Hay I* —5C **54**
Bourne Clo. *Water* —1B **10**
Bournemouth Av. *Gos* —6G **39**
Bournemouth Ho. *Hav* —4G **21**
Bourne Rd. *Ports* —3F **29**
Bourne Vw. Clo. *Ems* —1H **35**
Bowers Clo. *Water* —3A **10**
Bowes Hill. *Row C* —4H **11**
Bowes Lyon Ct. *Water* —6B **6**
Bowler Av. *Ports* —1F **51**
Bowler Ct. *Ports* —1F **51**
Boxgrove Rd. *Ports* —1D **50**
Boxwood Clo. *Fare* —2H **27**
Boxwood Clo. *Water* —3G **19**
Boyd Clo. *Fare* —4D **36**
Boyd Rd. *Gos* —2B **38**
Boyle Cres. *Water* —4F **19**
Brabazon Rd. *Fare* —4A **12**
Bracken Heath. *Water* —6B **10**
Bracklesham Rd. *Gos* —5D **38**
Bracklesham Rd. *Hay I* —6H **55**
Bradford Ct. *Gos* —1G **47**
Bradford Junct. *S'sea* —3E **51**
Bradford Rd. *S'sea* —3D **50**
Brading Av. *Gos* —3C **38**
Brading Av. *S'sea* —5G **51**
Bradley Ct. *Hav* —3H **21**
Bradly Rd. *Fare* —1E **25**
Braemar Av. *Ports* —4D **30**
Braemar Clo. *Fare* —6G **13**
Braemar Clo. *Gos* —3D **38**
Braemar Rd. *Gos* —2D **38**
Braintree Rd. *Ports* —2H **29**
Braishfield Rd. *Hav* —5G **21**
Bramber Rd. *Gos* —6G **39**
Bramble Clo. *Fare* —4C **36**
Bramble Clo. *Hav* —6A **22**
Bramble La. *Water* —1F **7**
Bramble Rd. *S'sea* —3E **51**
Brambles Bus. Cen., The. *Water* —6E **9**
Brambles Enterprise Cen., The. *Water* —6E **9**
Brambles Farm Ind. Est. *Water* —1F **19**

Brambles Rd. *Lee S* —6F **37**
Bramble Way. *Gos* —3A **38**
Brambling Rd. *Row C* —6H **11**
Bramdean Dri. *Hav* —4D **20**
Bramham Moor. *Fare* —3D **36**
Bramley Clo. *Water* —1H **19**
Bramley Gdns. *Ems* —3F **35**
Bramley Gdns. *Gos* —6C **48**
Bramley Ho. *S'sea*
—3C **50** (5G **5**)
Brampton La. *Ports* —1E **43**
Bramshaw Ct. *Hav* —4H **21**
Bramshott Rd. *S'sea* —3F **51**
Brandon Ct. *S'sea* —4E **51**
Brandon Ho. *S'sea* —5E **51**
Brandon Rd. *S'sea* —5D **50**
Bransbury Rd. *S'sea* —4H **51**
Bransgore Av. *Hav* —5C **20**
Brasted Ct. *S'sea* —2A **52**
Braunstone Clo. *Ports* —2E **29**
Braxell Lawn. *Hav* —3D **20**
Breach Av. *Ems* —1H **35**
Brecon Av. *Ports* —2D **30**
Brecon Clo. *Fare* —3G **25**
Bredenbury Cres. *Ports*
—2G **29**
Bredon Wlk. *Fare* —3G **25**
Breech Clo. *Ports* —1B **42**
Brenchley Clo. *Fare* —4H **27**
Brendon Rd. *Fare* —3F **25**
Brent Ct. *Ems* —3C **34**
Bresler Ho. *ports* —2F **29**
Brewers La. *Gos* —3C **38**
Brewer St. *Ports*
—1C **50** (1G **5**)
Brewhouse Sq. *Gos* —1F **49**
Brewster Clo. *Water* —4A **10**
Briar Clo. *Gos* —4A **48**
Briar Clo. *Water* —2B **10**
Briarfield Gdns. *Water* —1B **10**
Briars, The. *Water* —1H **19**
Briarwood Clo. *Fare* —3B **26**
Briarwood Gdns. *Hay I*
—4B **54**
Bridefield Clo. *Water* —4F **9**
Bridefield Cres. *Water* —4F **9**
Bridgefoot Dri. *Fare* —2C **26**
Bridgefoot Hill. *Fare* —2D **26**
Bridgefoot Path. *Ems* —3D **34**
Bridge Ho. *Gos* —1C **38**
Bridge Industries. *Fare* —6C **14**
Bridgemary Av. *Gos* —2D **38**
Bridgemary Gro. *Gos* —6C **26**
Bridgemary Rd. *Gos* —6C **26**
Bridgemary Way. *Gos* —6C **26**
Bridge Rd. *Ems* —2D **34**
Bridges Av. *Ports* —2D **28**
Bridge Shop. Cen., The. *Ports*
—2E **51**
Bridgeside Clo. *Ports* —2D **50**
Bridge St. *S'wick* —3B **16**
Bridge St. *Titch* —3C **24**
Bridge St. *Wick* —1A **14**
Bridget Clo. *Water* —6C **6**
Bridle Path. *Water* —5B **6**
Bridport St. *Ports*
—2C **50** (2G **5**)
Brigham Clo. *Ports* —2A **42**
Brighstone Rd. *Ports* —4A **30**
Brighton Av. *Gos* —5F **39**
Brightside. *Water* —3F **19**
Brights La. *Hay I* —2B **54**
Brisbane Ho. *Ports* —6H **41**
Bristol Ct. *Gos* —2G **47**
Bristol Rd. *S'sea* —5F **51**
Britain St. *Ports*
—2A **50** (3C **4**)
Britannia Rd. *S'sea* —3D **50**
Britannia Rd. N. *S'sea* —3D **50**

Britannia Way. *Gos* —6A **40**
Britten Rd. *Lee S* —1C **46**
Britten Way. *Water* —5G **19**
Brixworth Clo. *Ports* —2E **29**
Broadcut. *Fare* —1C **26**
Broad Gdns. *Ports* —3G **31**
Broadlands Av. *Water* —3G **19**
Broadlaw Wlk. Shop. Precinct.
Fare —4G **25**
Broadmeadows La. *Water*
—2A **20**
Broadmere Av. *Hav* —4F **21**
Broad Oak Works. *Ports*
—1D **42**
Broadsands Dri. *Gos* —4H **47**
Broadsands Wlk. *Gos* —4A **48**
Broad St. *Ports*
—3H **49** (5A **4**)
Broad Wlk. *Ids* —2E **11**
Broadway La. *Love* —1F **9**
Brockenhurst Av. *Hav* —3D **20**
Brockhampton La. *Hav* —2E **33**
Brockhampton Rd. *Hav*
(in two parts) —3D **32**
Brockhurst Ind. Est. *Gos*
—4F **39**
Brockhurst Rd. *Gos* —5F **39**
Brocklands. *Hav* —2D **32**
Brodrick Av. *Gos* —4C **48**
Brompton Pas. *Ports* —6H **41**
Brompton Rd. *S'sea* —5F **51**
Bromyard Cres. *Ports* —2G **29**
Brookdale Clo. *Water* —1H **19**
Brookers La. *Gos* —2A **38**
Brook Farm Av. *Fare* —2H **25**
Brookfield Clo. *Hav* —1E **33**
Brookfield Rd. *Ports* —1E **51**
Brook Gdns. *Ems* —3B **34**
Brooklands Rd. *Hav* —1B **32**
Brooklyn Dri. *Water* —1H **19**
Brookmeadow. *Fare* —2H **25**
Brookmead Way. *Hav* —3F **33**
Brookside. *Gos* —6B **26**
Brookside Clo. *Water* —3B **8**
Brookside Rd. *Hav* —3D **32**
(Harts Farm Way)
Brookside Rd. *Hav* —1C **32**
(Mayland Rd.)
Broom Clo. *S'sea* —2B **52**
Broom Clo. *Water* —4A **20**
Broomfield Cres. *Gos* —6B **38**
Broom Sq. *S'sea* —2B **52**
Broom Way. *Lee S* —6H **37**
Brougham La. *Gos* —1C **48**
Brougham Rd. *S'sea*
—3C **50** (5F **5**)
Brougham St. *Gos* —1C **48**
Browndown Rd. *Lee S* —4G **47**
Browning Av. *Ports* —2C **28**
Brownlow Clo. *Ports* —6H **41**
Browns La. *Ports* —1D **42**
Brow Path. *Water* —1E **31**
Brow, The. *Gos* —3G **49**
Brow, The. *Water* —1D **30**
Broxhead Rd. *Hav* —3G **21**
Bruce Clo. *Fare* —6A **14**
Bruce Rd. *S'sea* —5F **51**
Brune La. *Lee S & Gos* —4A **38**
(in two parts)
Brunel Rd. *Ports* —2A **42**
Brunel Way. *Fare* —4A **12**
Brunswick Gdns. *Hav* —1D **32**
Brunswick St. *S'sea*
—3C **50** (5F **5**)
Bryher Bri. *Port S* —4F **29**
Bryher Island. *Port S* —4E **29**
Bryony Way. *Water* —2A **20**
Bryson Rd. *Ports* —3H **29**

Buckby La. *Ports* —1E **43**
Buckingham Building. *Ports*
—2B **50** (2D **4**)
Buckingham Ct. *Fare* —6F **13**
Buckingham Grn. *Ports*
—6A **42**
Buckingham St. *Ports*
—1C **50** (1G **5**)
Buckland Clo. *Water* —4F **9**
Buckland Path. *Ports* —6H **41**
Buckland St. *Ports* —6A **42**
(in two parts)
Bucklers Ct. *Hav* —2D **20**
Bucklers Ct. *Ports* —4H **41**
Bucklers Rd. *Gos* —5A **40**
Bucksey Rd. *Gos* —5C **38**
Buddens Rd. *Wick* —1A **14**
Bude Clo. *Ports* —2D **28**
Bulbarrow Wlk. *Fare* —3G **25**
Bulbeck Rd. *Hav* —2F **33**
Bullfinch Ct. *Lee S* —6H **37**
Bulls Copse La. *Water* —1A **10**
Bunkers Hill. *Water* —4A **8**
Bunting Gdns. *Water* —3H **9**
Burcote Dri. *Ports* —1D **42**
Burdale Dri. *Hay I* —4F **55**
Burgate Clo. *Hav* —6D **20**
Burgess Clo. *Hay I* —6F **55**
Burghclere Rd. *Hav* —3H **21**
Burgoyne Rd. *Gos* —6D **50**
Burgundy Ter. *Ports* —2A **42**
Buriton Clo. *Fare* —2B **28**
Buriton Ho. *Ports*
—2D **50** (2H **5**)
(off Buriton St.)
Buriton St. *Ports*
—1D **50** (1H **5**)
Burleigh Rd. *Ports* —6B **42**
Burley Clo. *Hav* —3H **21**
Burlington Rd. *Ports* —4A **42**
Burnaby Building. *Ports*
—2B **50** (3D **4**)
Burnaby Rd. *Ports*
—2B **50** (3D **4**)
Burnett Rd. *Gos* —1B **48**
Burney Ho. Gos —3F **49**
(off South St.)
Burney Rd. *Gos* —4A **48**
Burnham Rd. *Ports* —2F **31**
Burnham's Wlk. *Gos* —3F **49**
Burnham Wood. *Fare* —6A **14**
Burnside. *Gos* —6B **26**
Burnside. *Water* —6A **10**
Burnt Ho. La. *Fare* —6F **25**
Burrell Ho. La. Fare —4B **50**
(off Hambrook St.)
Burrfields Retail Pk. *Ports*
—4D **42**
Burrfields Rd. *Ports* —4C **42**
Burrill Av. *Ports* —3C **30**
Burrows Clo. *Hav* —6G **21**
Bursledon Pl. *Water* —4F **19**
Bursledon Rd. *Water* —4F **19**
Burwood Gro. *Hay I* —2C **54**
Bury Clo. *Gos* —3D **48**
Bury Cres. *Gos* —3D **48**
Bury Cross. *Gos* —3C **48**
Bury Hall La. *Gos* —4B **48**
Bury Rd. *Gos* —3C **48**
Bush Ho. *S'sea* —4C **50** (6F **5**)
Bush St. E. *S'sea*
—4C **50** (6F **5**)
Bush St. W. *S'sea*
—4C **50** (6F **5**)
Bushy Mead. *Water* —6E **19**
Butcher St. *Ports*
—2A **50** (3B **4**)
Butser Ct. *Water* —2D **6**

Butser Wlk. *Fare* —3G **25**
Butterfly Dri. *Ports* —2E **29**
Byerley Clo. *Westb* —4F **23**
Byerley Rd. *Ports* —2F **51**
(in two parts)
Byngs Bus. Pk. *Water* —4D **8**
Byrd Clo. *Water* —4G **19**
Byres, The. *Fare* —2E **37**
Byron Clo. *Fare* —1A **26**
Byron Rd. *Ports* —5B **42**

C

Cadgwith Pl. *Port S* —4F **29**
Cadnam Ct. *Gos* —4H **47**
Cadnam Lawn. *Hav* —2D **20**
Cadnam Rd. *S'sea* —4H **51**
Cador Dri. *Fare* —5H **27**
Caen Ho. *Fare* —3G **25**
Cains Clo. *Fare* —2E **37**
Cairo Ter. *Ports* —6H **41**
Caldecote Wlk. *S'sea*
—3C **50** (4E **5**)
Calder Ho. *Ports* —2B **4**
Calshot Rd. *Hav* —2C **20**
Calshot Way. *Gos* —4B **38**
Camber Pl. *Ports*
—4A **50** (6B **4**)
Cambrian Ter. *S'sea* —6H **5**
Cambrian Wlk. *Fare* —6H **5**
Cambridge Building. *Ports*
—3B **50** (4D **4**)
Cambridge Ho. *Ports*
—3B **50** (5D **4**)
Cambridge Junct. *Ports*
—3B **50** (5D **4**)
Cambridge Rd. *Ports* —1A **48**
Cambridge Rd. *Lee S* —2D **46**
Cambridge Rd. *Ports*
—3B **50** (5D **4**)
Camcross Clo. *Ports* —2F **29**
Camden St. *Gos* —1C **48**
Camelia Clo. *Hav* —6A **22**
Camelot Cres. *Fare* —2H **27**
Cameron Clo. *Gos* —2C **38**
Campbell Cres. *Water* —4E **19**
Campbell Mans. *S'sea* —4E **51**
Campbell Rd. *S'sea* —4E **51**
Campion Clo. *Water* —3A **20**
Camp Rd. *Gos* —2D **38**
Cams Bay Clo. *Fare* —2F **27**
Cams Hill. *Fare* —2D **26**
(in two parts)
Canal Wlk. *Ports*
—2D **50** (3H **5**)
Canberra Clo. *Gos* —3B **48**
Canberra Ct. *Gos* —3B **48**
Canberra Ho. *Ports*
—2C **50** (2G **5**)
Cannock Wlk. *Fare* —4G **25**
Canons Barn Clo. *Fare* —2A **28**
Canterbury Clo. *Lee S* —3F **47**
Canterbury Rd. *Fare* —2E **37**
Canterbury Rd. *S'sea* —4F **51**
Capel Ley. *Water* —5G **19**
Captains Row. *Ports*
—4A **50** (6B **4**)
Caravan Pk. *Hay I* —5C **44**
Caraway. *White* —2A **12**
Carberry Dri. *Fare* —4H **27**
Carbery Ct. *Hav* —2D **20**
Carbis Clo. *Port S* —4E **29**
Cardiff Rd. *Ports* —3H **41**
Cardinal Dri. *Water* —6B **10**
Carisbrooke Av. *Fare* —3C **36**
Carisbrooke Clo. *Hav* —1H **33**
Carisbrooke Rd. *Gos* —2B **38**
Carisbrooke Rd. *S'sea* —3G **51**
Carless Clo. *Gos* —6D **38**
Carlisle Rd. *S'sea* —2D **50**

Carlton Rd.—Claybank Spur

Carlton Rd. *Fare* —2B **28**
Carlton Rd. *Gos* —2E **49**
Carlton Way. *Gos* —2E **49**
Carlyle Rd. *Gos* —2D **48**
Carmarthen Av. *Ports* —2D **30**
Carmine Ct. *Gos* —1G **47**
Carnarvon Rd. *Gos* —3C **48**
Carnarvon Rd. *Ports* —5B **42**
Carne Pl. *Port S* —4E **29**
Caroline Gdns. *Fare* —1E **25**
Caroline Ho. *Ports* —1C **4**
Caroline Pl. *Gos* —1D **48**
Carpenter Clo. *S'sea* —4G **51**
Carran Wlk. *Fare* —4G **25**
Carronade Wlk. *Ports* —6B **30**
Carshalton Av. *Ports* —3D **30**
Carter Ho. Gos —6B 26
  (off Woodside)
Carter Ho. *Ports*
  —2A **50** (2C **4**)
Cartwright Dri. *Fare* —1A **24**
Cascades App. *Ports*
  —1C **50** (1F **5**)
Cascades Shop. Cen. *Ports*
  —1C **50** (1F **5**)
Cask St. Ports —1C 50
  (off Landport Vw.)
Caspar John Clo. *Fare* —4D **36**
Castle Av. *Hav* —2H **33**
Castle Clo. *S'sea*
  —4C **50** (6F **5**)
Castle Esplanade. *S'sea*
  —6C **50**
Castle Gro. *Fare* —4B **28**
Castlemans La. *Hay I* —4C **44**
Castle Marina. *Lee S* —3D **46**
Castle Rd. *Row C* —5G **11**
Castle Rd. *S'sea*
  —4B **50** (6F **5**)
Castle St. *Portc* —3B **28**
Castle St. *Titch* —3C **24**
Castleton Ct. S'sea —4B 50
  (off Southsea Ter.)
Castle Trad. Est. *Fare* —3C **28**
Castle Vw. *Gos* —5H **39**
Castle Vw. Rd. *Fare* —5B **28**
Castleway. *Hav* —2H **33**
Cathedral Ho. *Ports* —6B **4**
Catherington Hill. *Cath* —2B **6**
Catherington La. *Water* —5A **6**
Catherington Way. *Hav* —5F **21**
Catisfield Ho. *Ports* —1H **5**
Catisfield La. *Fare* —2D **24**
Catisfield Rd. *Fare* —2E **25**
Catisfield Rd. *S'sea* —2H **51**
Causeway Farm. *Water*
  —1B **10**
Causeway, The. *Fare* —2E **27**
Cavanna Clo. *Gos* —2B **38**
Cavell Dri. *Ports* —2A **30**
Cavendish Clo. *Water* —1H **19**
Cavendish Dri. *Water* —2H **19**
Cavendish Rd. *S'sea* —4D **50**
Cawte's Pl. *Fare* —2C **26**
Cecil Gro. *S'sea* —4B **50**
Cecil Pl. *S'sea* —4B **50**
Cedar Clo. *Gos* —4G **39**
Cedar Clo. *Water* —3G **19**
Cedar Ct. *Fare* —2C **26**
Cedar Ct. *S'sea* —4D **50**
Cedar Cres. *Horn* —2C **10**
Cedar Gdns. *Hav* —1G **33**
Cedar Gro. *Ports* —6D **42**
Cedars, The. *Fare* —5H **13**
Cedar Way. *Fare* —3G **25**
Cedarwood Lodge. Fare
  (off Northwood Sq.) —1B 26
Celandine Av. *Water* —4B **10**

Celia Clo. *Water* —1B **20**
Cemetery La. *Ems* —5G **23**
Cemetery La. *Water* —2B **8**
Centaur St. *Ports* —5H **41**
Central Rd. *Fare* —4H **27**
Central Rd. *Ports* —4E **31**
Central St. *Ports*
  —1D **50** (1H **5**)
Cessac Ho. *Gos* —6E **49**
Chadderton Gdns. *Ports*
  —4B **50** (6D **4**)
Chaffinch Grn. *Water* —3G **9**
Chaffinch Way. *Fare* —3F **27**
Chaffinch Way. *Lee S* —6H **37**
Chale Clo. *Gos* —3C **38**
Chalk Hill Rd. *Water* —5C **6**
Chalk La. *Fare* —2D **24**
Chalk Pit Rd. *Ports* —2F **29**
Chalk Ridge. *Cath* —2D **6**
Chalkridge Rd. *Ports* —2C **30**
Chalky Wlk. *Fare* —4A **28**
Challenge Enterprise Cen., The.
  Ports —2D **42**
Challenger Dri. *Gos* —6A **40**
Chalton Cres. *Hav* —4D **20**
Chalton La. *Water* —1F **7**
  (in two parts)
Chamberlain Gro. *Fare* —3A **26**
Chanctonbury Ho. *S'sea*
  —4C **50** (6G **5**)
Chandlers Clo. *Hay I* —5E **55**
Chantrell Wlk. *Fare* —6F **13**
Chantry Rd. *Gos* —6F **39**
Chantry Rd. *Water* —5B **6**
Chapel La. *Water* —2G **19**
Chapelside. *Fare* —3C **24**
Chapel Sq. *Gos* —6F **39**
Chapel St. *Gos* —5H **39**
Chapel St. *Ports* —5A **42**
Chapel St. *S'sea*
  —4C **50** (6E **5**)
Chaplains Av. *Water* —4F **9**
Chaplains Clo. *Water* —4F **9**
Charden Rd. *Gos* —5D **38**
Charfield Clo. *Fare* —3F **25**
Chark La. *Lee S* —5H **37**
Charlcott Lawn. *Hav* —3D **20**
Charlemont Dri. *Fare* —2D **26**
Charlesbury Av. *Gos* —3B **48**
Charles Clark Ho. *S'sea*
  —3G **51**
Charles Clo. *Water* —3F **19**
Charles Dickens St. *Ports*
  —2C **50** (3F **5**)
Charles Norton-Thomas Ct.
  Ports —2B 50 (3C 4)
  (off St George's Way)
Charles St. *Ports*
  —1D **50** (1H **5**)
Charleston Clo. *Hay I* —3A **54**
Charlesworth Dri. *Water* —5F **9**
Charlesworth Gdns. *Water*
  —6F **9**
Charlotte Ct. *S'sea* —4C **50**
Charlotte M. *Gos* —5C **48**
Charlotte St. *Ports*
  —1C **50** (1F **5**)
Charlton Ho. *Ports*
  —1C **50** (1G **5**)
Charminster. S'sea —5E 51
  (off Craneswater Pk.)
Charminster Clo. *Water*
  —1G **19**
Charnwood. *Gos* —3D **38**
Charter Ho. *S'sea* —4E **5**
Chartwell Dri. *Hav* —6A **32**
Chase, The. *Gos* —3B **48**
Chasewater Av. *Ports* —6C **42**
Chatburn Av. *Water* —4G **9**

Chatfield Av. *Ports* —4E **41**
Chatfield Ho. Ports —1D 50
  (off Fyning St.)
Chatfield Rd. *Gos* —1C **38**
Chatham Clo. *Gos* —6A **40**
Chatham Dri. *Ports* —4B **50**
Chatsworth Av. *Ports* —5B **30**
Chatsworth Clo. *Fare* —2E **25**
Chatsworth Ct. *S'sea* —4D **50**
Chaucer Av. *Ports* —2C **28**
Chaucer Clo. *Fare* —1H **25**
Chaucer Clo. *Water* —5G **9**
Chaucer Ho. *Ports*
  —2C **50** (3G **5**)
Chedworth Cres. *Ports* —2E **29**
Cheeryble Ho. *Ports* —6H **41**
Chelmsford Rd. *Ports* —3B **42**
Chelsea Rd. *S'sea* —4D **50**
Cheltenham Cres. *Lee S*
  —6H **37**
Cheltenham Rd. *Ports* —3G **29**
Chepstow Ct. *Water* —6B **10**
Cheriton Clo. *Hav* —4D **20**
Cheriton Clo. *Water* —6B **6**
Cheriton Rd. *Gos* —3B **48**
Cherque La. *Lee S* —5A **38**
Cherry Blossom Ct. *Ports*
  —6H **41**
Cherry Clo. *Lee S* —2E **47**
Cherrygarth Rd. *Fare* —2E **25**
Cherry Tree Av. *Fare* —3F **25**
Cherry Tree Av. *Water* —4B **10**
Cherrywood Gdns. *Hay I*
  —3C **54**
Chervil Clo. *Water* —4C **6**
Cheshire Clo. *White* —4B **12**
Cheshire Way. *Ems* —1H **35**
Cheslyn Rd. *Ports* —1H **51**
Chester Courts. *Gos* —3E **49**
Chester Cres. *Lee S* —3F **47**
Chesterfield Rd. *Ports* —5C **42**
Chester Pl. *S'sea* —5D **50**
Chesterton Gdns. *Water* —4G **9**
Chestnut Av. *Hav* —6B **20**
Chestnut Av. *S'sea* —3F **51**
Chestnut Av. *Water* —2C **10**
Chestnut Clo. *Water* —3B **8**
Chestnut Ct. *Row C* —1H **21**
Chestnut Wlk. *Gos* —4G **39**
Chetwynd Rd. *S'sea* —4E **51**
Chevening Ct. *S'sea* —2H **51**
Cheviot Wlk. *Fare* —4H **25**
Chewter Clo. *S'sea* —6E **51**
Cheyne Way. *Lee S* —2D **46**
Chichester Av. *Hay I* —5B **54**
Chichester Clo. *Gos* —3B **38**
Chichester Ho. *Hav* —6G **21**
Chichester Rd. *Hay I* —4E **45**
Chichester Rd. *Ports* —5H **41**
Chidham Clo. *Hav* —1E **33**
Chidham Dri. *Hav* —1E **33**
Chidham Rd. *Ports* —2C **30**
Chidham Sq. *Hav* —1E **33**
Chidham Wlk. *Hav* —1E **33**
Chilbolton Ct. *Hav* —3H **21**
Chilcomb Clo. *Lee S* —1D **46**
Chilcombe Clo. *Hav* —6F **21**
Chilcote Rd. *Ports* —6C **42**
Childe Sq. *Ports* —3G **41**
Chilgrove Rd. *Ports* —3E **31**
Chilsdown Way. *Water* —5G **19**
Chiltern Ct. *Gos* —2D **48**
Chiltern Wlk. *Fare* —4H **25**
Chilworth Gdns. *Water* —1C **6**
Chilworth Gro. *Gos* —2C **48**
Chine, The. *Gos* —4D **38**
Chipstead Ho. *Ports* —3B **30**
Chipstead Rd. *Ports* —3B **30**
Chitty Rd. *S'sea* —5G **51**

Chivers Clo. *S'sea*
  —4C **50** (6G **5**)
Christchurch Gdns. *Water*
  —1D **30**
Christopher Way. *Ems* —1D **34**
Christyne Ct. *Water* —4F **19**
Church Clo. *Clan* —1F **7**
Churcher Clo. *Gos* —4H **47**
Churcher Rd. *Ems* —5F **23**
Churcher Wlk. *Gos* —4H **47**
Churchill Ct. *Ports* —3G **31**
Churchill Ct. *Water* —1A **10**
Churchill Dri. *Ems* —5D **22**
Churchill M. Gos —1C 48
  (off Forton Rd.)
Churchill Sq. *S'sea* —5H **51**
Churchill Yd. Ind. Est. *Water*
  —6F **9**
Church La. *Hav* —4H **33**
Church La. *Hay I* —2E **45**
Church Path. *Ems* —3D **34**
Church Path. *Fare* —2C **26**
Church Path. *Gos* —3F **49**
Church Path. *Hav* —4H **33**
Church Path. *Horn* —1D **10**
Church Path. *Titch* —3C **24**
Chu. Path N. *Ports*
  —1D **50** (1G **5**)
Church Pl. *Fare* —1C **26**
Church Rd. *Fare* —5C **28**
Church Rd. *Gos* —5C **48**
Church Rd. *Hay I* —3C **54**
Church Rd. *Ports*
  (in two parts) —1D **50** (1H **5**)
Church Rd. *S'brne* —3H **35**
Church Rd. *Westb* —6F **23**
Church St. *Ports* —6G **41**
Church St. *Titch* —3C **24**
Church Vw. *S'sea* —3G **51**
Church Vw. *Westb* —6F **23**
Cinderford Clo. *Ports* —2G **29**
Circle, The. *S'sea* —5D **50**
Circle, The. *Wick* —1A **14**
Circular Rd. *Ports*
  —6F **41** (1D **4**)
City Quay. *Ports*
  —3A **50** (4B **4**)
Civic Cen. Rd. *Hav* —1F **33**
Civic Way. *Fare* —2C **26**
Clacton Rd. *Ports* —3H **29**
Claire Gdns. *Water* —3C **6**
Clanfield Ho. *Ports*
  —1D **50** (1H **5**)
Clanwilliam Rd. *Lee S* —1D **46**
Clare Ho. *Gos* —6F **39**
Claremont Gdns. *Water*
  —5G **19**
Claremont Rd. *Ports* —2E **51**
Clarence Esplanade. *S'sea*
  —5B **50**
Clarence Pde. *S'sea* —5B **50**
Clarence Rd. *Gos* —2F **49**
Clarence Rd. *S'sea* —5D **50**
Clarence St. *Ports* —1C **50**
Clarendon Ct. S'sea —6D 50
  (off Clarendon Rd.)
Clarendon Pl. *Ports*
  (Arundel Way) —2C **50** (2G **5**)
Clarendon Pl. *Ports* —1D **50**
  (Clarendon St.)
Clarendon Rd. *Hav* —2E **33**
Clarendon Rd. *S'sea* —5C **50**
Clarendon Rd. *Ports* —1D **50**
Clarke's Rd. *Ports* —1F **51**
Claudia Ct. *Gos* —1B **48**
Claxton St. *Ports*
  —2D **50** (2H **5**)
Claybank Rd. *Ports* —4C **42**
Claybank Spur. *Ports* —4C **42**

Claydon Av. *S'sea* —3G **51**
Clayhall Rd. *Gos* —5C **48**
Clee Av. *Fare* —3F **25**
Cleeve Clo. *Ports* —2F **29**
Clegg Rd. *S'sea* —4G **51**
Clement Attlee Way. *Ports*
—3F **29**
Cleveland Dri. *Fare* —3F **25**
Cleveland Rd. *Gos* —4D **48**
Cleveland Rd. *S'sea* —3E **51**
Cleverley Ho. *Ports* —3B **4**
Cliffdale Gdns. *Cosh* —2C **30**
Cliff Rd. *Fare* —4A **36**
Clifton Cres. *Water* —3D **8**
Clifton Rd. *Lee S* —3E **47**
Clifton Rd. *S'sea* —5C **50**
Clifton St. *Gos* —1B **48**
Clifton St. *Ports* —1E **51**
Clifton Ter. *S'sea* —5C **50**
Climaur Ct. *S'sea* —5D **50**
Clinton Rd. *Water* —4E **9**
Clive Gro. *Fare* —4A **28**
Clive Rd. *Ports* —1E **51**
Clock St. *Ports*
—2A **50** (3B **4**)
Clocktower Dri. *S'sea* —5H **51**
Cloisters, The. *Fare* —1E **25**
Close, The. *Fare* —3A **28**
Close, The. *Ports* —4C **30**
Close, The. *S'sea* —4C **50**
Close, The. *Titch* —4B **24**
Closewood Rd. *Water* —6C **8**
Clovelly Rd. *Ems* —3C **34**
Clovelly Rd. *Hay I* —1E **45**
Clovelly Rd. *S'brne* —2H **35**
Clovelly Rd. *S'sea* —3G **51**
Clover Clo. *Gos* —3C **38**
Clover Ct. *Water* —3A **20**
Cluster Ind. Est. *S'sea* —2F **51**
Clydebank Rd. *Ports* —5H **41**
Clyde Ct. *Gos* —1B **48**
Clyde Rd. *Gos* —1B **48**
Coach Hill. *Fare* —3B **24**
Coach Ho. *S'sea* —3A **52**
Coal Yd. Rd. *S'sea* —2F **51**
Coastguard Clo. *Gos* —5B **48**
Coastguard Cotts. *Hav* —5F **33**
Coates Way. *Water* —4G **19**
Cobalt Ct. *Gos* —1G **47**
Cobblewood. *Ems* —6D **22**
Cobden Av. *Ports* —5C **42**
Cobden St. *Gos* —2D **48**
Cobham Gro. *White* —4A **12**
Coburg St. *Ports* —2D **50**
Cochrane Clo. *Gos* —1H **47**
Cochrane Ho. *Ports*
—2A **50** (3B **4**)
Cockleshell Gdns. *S'sea*
—4A **52**
Codrington Ho. *Ports* —2B **4**
Coghlan Clo. *Fare* —1B **26**
Colbury Gro. *Hav* —4C **20**
Colchester Rd. *Ports* —2H **29**
Cold Harbour Clo. *Wick*
—2A **14**
Coldharbour Farm Rd. *Ems*
—2D **34**
Coldhill La. *Water* —6A **6**
(in two parts)
Colebrook Av. *Ports* —5D **42**
Colemore Sq. *Hav* —5F **21**
Colenso Rd. *Fare* —2A **26**
Coleridge Gdns. *Water* —3H **9**
Coleridge Rd. *Ports* —2D **28**
Colinton Av. *Fare* —2B **26**
College Clo. *Row C* —6H **11**
College La. *Ports*
—2A **50** (3B **4**)

College Rd. *Navy*
—2A **50** (1B **4**)
College Rd. *Pur* —1G **31**
College St. *Ports*
—2A **50** (3B **4**)
Collington Cres. *Ports* —2F **29**
Collingwood Ho. *Fare* —1F **25**
Collingwood Retail Pk. *Fare*
—5A **26**
Collingwood Rd. *S'sea* —5D **50**
Collins Rd. *S'sea* —5G **51**
Collis Rd. *Ports* —5C **42**
Colpoy St. *S'sea*
—3B **50** (5E **5**)
Coltsfoot Dri. *Water* —4H **19**
Coltsmead. *Ports* —3D **28**
Colville Rd. *Ports* —3C **30**
Colwell Rd. *Ports* —4B **30**
Comfrey Clo. *Water* —4C **6**
Comley Hill. *Hav* —2A **22**
Commercial Pl. *Ports*
—1C **50** (1G **5**)
Commercial Rd. *Ports*
(in two parts) —2C **50** (2F **5**)
Comn. Barn La. *Lee S* —6H **37**
(in two parts)
Common La. *S'wick* —1C **16**
Common La. *Titch* —3A **24**
Commonside. *Ems* —4F **23**
Common St. *Ports* —1D **50**
Compass Clo. *Gos* —1H **47**
Compass Point. *Fare* —3B **26**
Compass Rd. *Ports* —4F **29**
Compton Clo. *Hav* —6F **21**
Compton Clo. *Lee S* —1D **46**
Compton Ct. *Hav* —1E **33**
Compton Rd. *Ports* —2A **42**
Conan Rd. *Ports* —1A **42**
Concorde Way. *Fare* —4A **12**
Condor Av. *Fare* —3F **27**
Conford Ct. *Hav* —3D **20**
Conifer Clo. *Water* —5A **10**
Conifer Gro. *Gos* —1B **38**
Conifer M. *Fare* —2B **28**
Conigar Rd. *Ems* —6D **22**
Coniston Av. *Ports* —5C **42**
Coniston Wlk. *Fare* —4G **25**
Connaught La. *Ports* —2D **28**
Connaught Rd. *Hav* —2G **33**
Connaught Rd. *Ports* —3H **41**
Connigar Clo. *Gos* —6C **38**
Connors Keep. *Water* —3F **9**
Conqueror Way. *Fare* —4F **37**
Consort Ct. *Fare* —2C **26**
Consort Ho. *Ports* —6H **41**
(off Prince's St.)
Constable Clo. *Gos* —6E **49**
Convent Ct. *Ems* —2C **34**
Convent La. *Ems* —3D **34**
Cooks La. *Ems* —2H **35**
Cooley Ho. *Gos* —1B **38**
Coombe Farm Av. *Fare* —3A **26**
Coombe Rd. *Gos* —6H **39**
Coombs Clo. *Water* —4C **6**
Cooper Gro. *Fare* —5B **28**
Cooper Rd. *Ports* —5D **42**
Copnor Rd. *Ports* —6B **30**
Copper Beech Dri. *Ports*
—3G **31**
Copperfield Ho. *Ports* —6H **41**
Copper St. *S'sea*
—4B **50** (6E **5**)
Coppice, The. *Gos* —3D **38**
Coppice, The. *Water* —1A **10**
Coppice Way. *Fare* —6F **13**
Coppins Gro. *Fare* —5A **28**
Copse Clo. *Water* —1F **31**
Copse La. *Gos* —4D **38**
Copse La. *Hay I* —5C **44**

Copse, The. *Fare* —5F **13**
Copsey Clo. *Ports* —3F **31**
Copsey Gro. *Ports* —4F **31**
Copsey Path. *Ports* —3F **31**
Copythorn Rd. *Ports* —4B **42**
Coral Clo. *Fare* —5A **28**
Coral Ct. *Gos* —1G **47**
Coralin Gro. *Water* —6B **10**
Corbett Rd. *Water* —3F **19**
Corby Cres. *Ports* —1D **42**
Corfe Clo. *Fare* —3C **36**
Corhampton Cres. *Hav*
—5D **20**
Corhampton Ho. *Ports* —1H **5**
Coriander Way. *White* —1A **12**
Cormorant Clo. *Fare* —3F **27**
Cormorant Wlk. *Gos* —3B **38**
Cornaway La. *Fare* —4H **27**
Cornbrook Gro. *Water* —6C **10**
Cornelius Dri. *Water* —6A **10**
Corner Mead. *Water* —3B **8**
Cornfield. *Fare* —5B **14**
Cornfield Rd. *Lee S* —1D **46**
Cornwallis Cres. *Ports* —1D **50**
Cornwallis Ho. *Ports* —1D **50**
(off Cornwallis Cres.)
Cornwall Rd. *Ports* —2E **51**
Cornwell Clo. *Gos* —6D **38**
Cornwell Clo. *Ports* —3F **41**
Coronado Rd. *Gos* —6H **39**
Coronation Eventide Homes.
Ports —1A **42**
Coronation Rd. *Hay I* —6G **55**
Coronation Rd. *Water* —1G **19**
Cort Way. *Fare* —5E **13**
Cosham Pk. Av. *Ports* —4B **30**
Cotswold Clo. *Hav* —3E **21**
Cotswold Wlk. *Fare* —4H **25**
Cottage Clo. *Water* —4B **8**
Cottage Gro. *Ports* —2D **48**
Cottage Gro. *S'sea*
—3C **50** (5G **5**)
Cottage Vw. *Ports*
—2D **50** (2H **5**)
Cotteridge Ho. *S'sea*
—2D **50** (4H **5**)
Cottesloe Ct. *S'sea* —5C **50**
Cottes Way. *Fare* —4C **36**
Cottesway E. *Fare* —4D **36**
Cotton Dri. *Ems* —5C **22**
(in two parts)
Cotwell Av. *Water* —3B **10**
Coulmere Rd. *Gos* —1C **48**
Country Vw. *Fare* —1D **36**
County Gdns. *Fare* —3E **25**
Ct. Barn Clo. *Lee S* —6H **37**
Ct. Barn La. *Lee S* —6H **37**
Court Clo. *Ports* —4D **30**
Courtenay Clo. *Fare* —6A **12**
Courtlands Ter. *Water* —3A **10**
Court La. *Ports* —4D **30**
Court Mead. *Ports* —3D **30**
Courtmount Gro. *Ports*
—3C **30**
Courtmount Path. *Ports*
—2C **30**
Court Rd. *Lee S* —6G **37**
Cousins Clo. *S'sea* —5G **51**
Coventry Ct. *Gos* —1H **47**
Coverack Way. *Port S* —4F **29**
Covert Gro. *Water* —1E **21**
Covindale Ho. *S'sea* —4G **51**
Covington Rd. *Ems* —4F **23**
Cowan Rd. *Water* —4F **19**
Coward Rd. *Gos* —5B **48**
Cowdray Ho. *Ports* —2H **5**
Cowdray Pk. *Fare* —3C **36**
Cowes Ct. *Fare* —3E **25**
Cow La. *Portc* —4B **28**

Cow La. *Ports* —4H **29**
Cowper Rd. *Ports* —1E **51**
Cowslip Clo. *Gos* —3C **38**
Crabbe Ct. *S'sea*
—3C **50** (5G **5**)
Crabden La. *Horn* —5E **7**
Crabthorne Farm La. *Fare*
—2D **36**
Crabwood Ct. *Hav* —2D **20**
Craddock Ho. *Ports* —2B **4**
Craig Ho. *S'sea* —5D **50**
(off Marmion Av.)
Craigwell Rd. *Water* —5G **19**
Cranborne Rd. *Ports* —2C **30**
Cranborne Wlk. *Fare* —4G **25**
Cranbourne Rd. *Gos* —4E **49**
Craneswater Av. *S'sea* —6E **51**
Craneswater Ga. *S'sea* —6E **51**
Craneswater M. *S'sea* —5E **51**
(off Craneswater Pk.)
Craneswater Pk. *S'sea* —5E **51**
Cranleigh Av. *Ports* —1E **51**
Cranleigh Rd. *Fare* —4G **27**
Cranleigh Rd. *Ports* —1E **51**
Crasswell St. *Ports*
(in two parts) —1C **50** (1G **5**)
Craven Ct. *Fare* —6G **13**
Crawford Dri. *Fare* —6H **13**
Crawley Av. *Hav* —3G **21**
Credenhill Rd. *Ports* —2G **29**
Creech Vw. *Den* —3A **8**
Creek End. *Ems* —4D **34**
Creek Rd. *Gos* —3F **49**
Creek Rd. *Hay I* —5F **55**
Creek Vw. Cvn. Est. *Hay I*
—5G **55**
Cremyll Clo. *Fare* —3E **37**
Crescent Gdns. *Fare* —2A **26**
Crescent Rd. *Fare* —2A **26**
Crescent Rd. *Gos* —6C **48**
Crescent, The. *Ems* —3H **35**
Crescent, The. *Water* —5E **19**
Cressy Rd. *Ports* —6H **41**
Crest Clo. *Fare* —2D **26**
Crestland Clo. *Water* —4A **10**
Crest, The. *Water* —1E **31**
Cricket Dri. *Water* —1A **10**
Crinoline Gdns. *S'sea* —5G **51**
Crisspyn Clo. *Water* —1B **10**
Croad Ct. *Fare* —2C **26**
Crockford Rd. *Ems* —5F **23**
Croftlands Av. *Fare* —2E **37**
Croft La. *Hay I* —4C **44**
Croft La. *Water* —6C **6**
Crofton Av. *Lee S* —5E **37**
Crofton Clo. *Water* —4E **19**
Crofton Ct. *Fare* —3E **37**
Crofton La. *Fare* —4D **36**
Crofton Rd. *Ports* —3A **42**
Crofton Rd. *S'sea* —2H **51**
Croft Rd. *Ports* —4H **41**
(in two parts)
Croft, The. *Fare* —1E **37**
Cromarty Av. *S'sea* —3H **51**
Cromarty Clo. *Fare* —2D **36**
Crombie Clo. *Water* —3H **9**
(in two parts)
Cromer Rd. *Ports* —2A **30**
Cromhall Clo. *Fare* —3E **25**
Cromwell Rd. *S'sea* —5H **51**
Crondall Av. *Hav* —3E **21**
Crooked Wlk. La. *S'wick*
—6C **16**
Crookham Clo. *Hav* —4C **20**
Crookhorn La. *Water* —2G **31**
Crossfell Wlk. *Fare* —4G **25**
Crossgill. *Water* —6A **6**
Crossland Clo. *Gos* —4E **49**
Crossland Dri. *Hav* —6F **21**

oss La. *Water* —2A **10**
Cross Rd. *Lee S* —3E **47**
Cross St. *Ports* —2A **50** (2C **4**)
Cross St. *S'sea*
　　　　　　—3D **50** (4H **5**)
Cross Way. *Hav* —1E **33**
Crossways, The. *Gos* —1D **48**
Crossway, The. *Fare* —3H **27**
Crouch La. *Water* —6A **6**
　(in two parts)
Crown Clo. *Water* —6G **19**
Crown Ct. *Ports* —6C **4**
Crown Ct. *Ports* —1D **50**
　(Common St.)
Crown M. *Gos* —3F **49**
Crown St. *Ports* —1D **50**
Crowsbury Clo. *Ems* —6C **22**
Crusader Ct. *Gos* —6A **40**
Crystal Way. *Water* —1A **20**
Cuckoo La. *Fare* —2D **36**
Culloden Clo. *Fare* —1G **25**
Culloden Rd. *Fare* —5H **25**
Culver Dri. *Hay I* —6E **55**
Culverin Sq. Ind. Est. *Ports*
　　　　　　　　—1C **42**
Culver Rd. *S'sea* —5G **51**
Cumberland Av. *Ems* —5C **22**
Cumberland Bus. Cen. *S'sea*
　　　　　　—2D **50**
Cumberland Ho. *Ports*
　　　　　　—1A **50** (1C **4**)
Cumberland Rd. *S'sea* —2D **50**
Cumberland St. *Ports*
　　　　　　—1A **50** (1C **4**)
Cunningham Clo. *Ports*
　　　　　　—1H **41**
Cunningham Ct. S'sea —5D **50**
　(off Collingwood Rd.)
Cunningham Dri. *Gos* —2D **38**
Cunningham Rd. *Horn* —6C **6**
Cunningham Rd. *Water*
　　　　　　—4F **19**
Curdridge Clo. *Hav* —4G **21**
Curie Rd. *Ports* —2A **30**
Curlew Clo. *Ems* —3C **34**
Curlew Dri. *Fare* —3F **27**
Curlew Gdns. *Water* —3H **9**
Curlew Path. *S'sea* —2H **51**
Curlew Wlk. *Gos* —2A **38**
Curtis Mead. *Ports* —1B **42**
Curtiss Gdns. *Gos* —3B **48**
Curve, The. *Gos* —2B **38**
Curve, The. *Water* —1H **9**
Curzon Howe Rd. *Ports*
　　　　　　—2A **50** (2C **4**)
Curzon Rd. *Water* —2G **19**
　(in two parts)
Cuthbert Rd. *Ports* —1F **51**
Cutlers La. *Fare* —2E **37**
Cygnet Ct. *Fare* —3F **27**
Cygnet Ho. *Gos* —6H **39**
Cygnet Rd. *Ports* —4H **31**
Cypress Cres. *Water* —2A **10**
Cyprus Rd. *Ports* —5A **42**

Dairymoor. *Wick* —1A **14**
Daisy La. *Gos* —3C **48**
Daisy Mead. *Water* —3A **20**
Dale Dri. *Gos* —6B **26**
Dale Pk. Ho. *Ports*
　　　　　　—2C **50** (2G **5**)
Dale Rd. *Fare* —2F **37**
Dale, The. *Water* —1E **31**
Dalewood Rd. *Fare* —2F **25**
Dallington Clo. *Fare* —4E **37**
Damask Gdns. *Water* —6B **10**
Dampier Clo. *Gos* —6C **38**
Danbury Ct. *Ems* —1E **35**

Dances Way. *Hay I* —3A **54**
Dandelion Clo. *Gos* —3B **38**
Dando Rd. *Water* —3C **8**
Danebury Clo. *Hav* —3E **21**
Danesbrook La. *Water* —2A **20**
Danes Rd. *Fare* —2H **27**
Darlington Rd. *S'sea* —4E **51**
Darren Clo. *Fare* —1F **37**
Darren Ct. *Fare* —1B **26**
Dartmouth M. *S'sea* —4B **50**
Dartmouth Rd. *Ports* —3C **42**
Darwin Ho. *Ports* —2H **5**
Darwin Way. *Gos* —1H **47**
Daubney Gdns. *Hav* —3D **20**
Daulston Rd. *Ports* —6B **42**
Davenport Clo. *Gos* —1G **47**
Daventry La. *Ports* —1E **43**
Davidia Ct. *Water* —3A **20**
Davidson Ct. *Ports* —3C **4**
Davis Clo. *Gos* —5C **38**
Davis Way. *Fare* —5A **26**
Daw La. *Hay I* —5B **44**
Dayshes Clo. *Gos* —2B **38**
Dayslondon Rd. *Water* —4F **19**
Deal Clo. *Fare* —1E **37**
Deal Rd. *Ports* —2A **30**
Dean Ct. *Horn* —6C **6**
Deane Ct. *Hav* —4H **21**
Deane Gdns. *Lee S* —1D **46**
Deane's Pk. Rd. *Fare* —2D **26**
Dean Farm Est. *Fare* —4A **14**
Dean Rd. *Ports* —3C **30**
Deans Ga. *Fare* —4E **37**
Dean St. *Ports* —2A **50** (3C **4**)
Deanswood Dri. *Water* —6G **9**
Dean Vs. *Know* —2F **13**
Deep Dell. *Water* —2B **10**
Deeping Ga. *Water* —2A **20**
Deerhurst Cres. *Ports* —2E **29**
Deer Leap. *Fare* —4F **13**
Delamere Rd. *S'sea* —4E **51**
Delaval Ho. *Ports* —2C **4**
Delft Gdns. *Water* —5G **9**
De Lisle Clo. *Ports* —1B **42**
Delius Wlk. *Water* —4G **19**
Dell Clo. *Water* —1D **30**
Dellcrest Path. *Ports* —2D **30**
　(in two parts)
Dellfield Clo. *Ports* —2E **29**
Dell Piece E. *Horn* —2D **10**
Dell Piece W. *Horn* —1B **10**
Dell Quay Clo. *Gos* —3B **38**
Dell, The. *Fare* —2D **26**
Dell, The. *Hav* —1B **32**
Delme Ct. *Fare* —2A **26**
Delme Dri. *Fare* —1D **26**
Delme Sq. *Fare* —2B **26**
Delphi Way. *Water* —1H **31**
Delta Bus. Pk. *Fare* —4B **26**
Denbigh Dri. *Fare* —1H **25**
Dene Hollow. *Ports* —3F **31**
Denham Clo. *Fare* —3D **36**
Denhill Clo. *Hay I* —2A **54**
Denmead Cvn. Pk. *Water*
　　　　　　—3C **8**
Denmead Ho. *Ports*
　　　　　　—1D **50** (1H **5**)
Denmead La. *Den* —1D **8**
Denning M. *S'sea*
　　　　　　—2C **50** (3G **5**)
Denville Av. *Fare* —5B **28**
Denville Clo. *Ports* —3H **31**
Denville Clo. Path. *Ports*
　　　　　　—3H **31**
Denvilles Clo. *Hav* —1H **33**
Derby Clo. *Gos* —1G **47**
Derby Rd. *Ports* —4H **41**
Derlyn Rd. *Fare* —2A **26**
Dersingham Clo. *Ports* —2A **30**

Derwent Clo. *Fare* —1F **37**
Derwent Clo. *Water* —3C **6**
Derwent Rd. *Lee S* —2D **46**
Desborough Clo. *Ports*
　　　　　　—2E **29**
Deverell Pl. *Water* —6E **19**
Devon Rd. *Ports* —2C **42**
Devonshire Av. *S'sea* —3F **51**
Devonshire Sq. *S'sea* —3F **51**
Devonshire Way. *Fare* —3E **25**
Dhekelia Rd. *Ports* —1D **50**
Diamond St. *S'sea*
　　　　　　—4B **50** (6E **5**)
Diana Clo. *Ems* —5C **22**
Diana Clo. *Gos* —3A **48**
Dibden Clo. *Hav* —5C **20**
Dickens Clo. *Ports* —6H **41**
Dickson Pk. *Wick* —1A **14**
Dieppe Cres. *Ports* —1A **42**
Dieppe Gdns. *Gos* —3B **48**
Dight Rd. *Gos* —5E **49**
Discovery Clo. *Fare* —6E **25**
Ditcham Cres. *Hav* —5E **21**
Ditton Clo. *Fare* —2E **37**
Dockenfield Clo. *Hav* —5C **20**
Dock Mill Cotts. *S'sea* —5D **50**
Dock Rd. *Gos* —3E **49**
Dogwood Dell. *Water* —4H **19**
Dolman Rd. *Gos* —4E **49**
Dolphin Ct. *Fare* —1D **36**
Dolphin Ct. *Lee S* —1C **46**
Dolphin Ct. *S'sea* —6F **51**
Dolphin Cres. *Gos* —4E **49**
Dolphin Quay. *Ems* —3E **35**
Dolphin Way. *Gos* —6F **49**
Dominie Wlk. *Lee S* —1D **46**
Domum Rd. *Ports* —3B **42**
Domvilles App. *Ports* —4F **41**
Donaldson Rd. *Ports* —5B **30**
Donnelly St. *Gos* —1C **48**
Dorcas Clo. *Water* —6A **10**
Dore Av. *Fare* —3H **27**
Doric Clo. *Ems* —2H **35**
Dorking Cres. *Ports* —4H **31**
Dormington Rd. *Ports* —2G **29**
Dormy Way. *Gos* —4B **38**
Dorney Ct. *Ports* —4C **30**
Dornmere La. *Water* —2A **20**
Dorothy Ct. *S'sea* —4D **50**
Dorothy Dymond St. *Ports*
　　　　　　—2C **50** (3F **5**)
Dorrien Rd. *Gos* —6H **39**
Dorrita Av. *Water* —3A **10**
Dorrita Clo. *S'sea* —5F **51**
Dorset Clo. *Water* —1B **10**
Dorstone Rd. *Ports* —2G **29**
Douglas Gdns. *Hav* —5G **21**
Douglas Keep. *Water* —3G **9**
Douglas Rd. *Ports* —6C **42**
Dove Clo. *Water* —3H **9**
Dover Clo. *Fare* —2D **36**
Dover Ct. *Hay I* —2A **54**
Dovercourt Rd. *Ports* —5C **30**
Dover Rd. *Ports* —5C **42**
Dowley Ct. *Titch* —3B **24**
Down End. *Ports* —2E **31**
Downend Rd. *Fare* —2F **27**
Down End Rd. *Ports* —2E **31**
Down Farm Pl. *Water* —4C **6**
Downham Clo. *Water* —4H **9**
Downhouse Rd. *Water* —1A **6**
Downley Rd. *Hav* —5H **21**
Down Rd. *Horn* —4C **6**
　(in three parts)
Downs Clo. *Water* —6H **19**
Downside. *Gos* —3D **38**
Downside Rd. *Water* —6E **19**
Downsway, The. *Fare* —3A **28**
　(in two parts)

Downwood Way. *Horn* —4C **6**
Doyle Av. *Ports* —1A **42**
Doyle Clo. *Ports* —1A **42**
Doyle Ct. *Ports* —2A **42**
Doyle Ho. *Hav* —6B **20**
Dragon Est. *Ports* —4G **31**
Drake Ho. *Ports*
　　　　　　—2A **50** (2B **4**)
Drake Rd. *Lee S* —6F **37**
Draycote Rd. *Water* —2C **6**
Drayton La. *Ports* —2D **30**
Drayton Rd. *Ports* —4A **42**
Dreadnought Rd. *Fare* —6H **25**
Dresden Dri. *Water* —5G **9**
Drift Rd. *Fare* —1D **26**
Drift Rd. *Water* —2F **7**
Drift, The. *Row C* —6H **11**
Driftwood Gdns. *S'sea* —5A **52**
Drill Shed Rd. *Ports* —4F **41**
Drive, The. *Ems* —3H **35**
Drive, The. *Fare* —2A **26**
Drive, The. *Gos* —3A **38**
Drive, The. *Hav* —6F **21**
Droke, The. *Ports* —4B **30**
　(in two parts)
Drove Rd. *S'wick* —5E **17**
Droxford Clo. *Gos* —3B **48**
Drummond Rd. *Ports*
　　　　　　—1D **50** (1H **5**)
Dryden Av. *Ports* —2C **28**
Dryden Clo. *Fare* —1H **25**
Dryden Clo. *Water* —2F **7**
Drysdale M. *S'sea* —5H **51**
Duckworth Ho. *Ports*
　　　　　　—2A **50** (3C **4**)
Dudleston Heath Dri. *Water*
　　　　　　—5B **10**
Dudley Rd. *Ports* —6C **42**
Duffield La. *Ems* —6H **23**
Dugald Drummond St. *Ports*
　　　　　　—2C **50** (3F **5**)
Duisburg Way. *S'sea* —4B **50**
Duke Cres. *Ports* —6H **41**
Duke of Edinburgh Ho. *Ports*
　　　　　　—1D **4**
Dukes Rd. *Gos* —1C **48**
Dukes Wlk. *Water* —2G **19**
Dumbarton Clo. *Ports* —5H **41**
Dummer Ct. *Hav* —3D **20**
Dunbar Rd. *S'sea* —3H **51**
Duncan Cooper Ho. *Water*
　　　　　　—2F **19**
Duncan Rd. *S'sea* —5D **50**
Duncans Dri. *Fare* —3D **24**
Duncton Rd. *Water* —2H **7**
Duncton Way. *Gos* —2C **38**
Dundas Clo. *Ports* —3D **42**
Dundas La. *Ports* —4D **42**
Dundas Spur. *Ports* —3D **42**
Dundee Clo. *Fare* —6G **13**
Dundonald Clo. *Hay I* —2C **54**
Dunhurst Clo. *Hav* —6G **21**
Dunkeld Rd. *Gos* —6F **39**
Dunlin Clo. *S'sea* —2B **52**
Dunn Clo. *S'sea* —4H **51**
Dunnock Clo. *Row C* —6H **11**
Dunsbury Way. *Hav* —3E **21**
Dunsmore Clo. *S'sea*
　　　　　　—3C **50** (5F **5**)
Dunstable Wlk. *Fare* —3F **25**
Durban Homes. *Ports*
　　　　　　—1D **50** (1H **5**)
Durban Rd. *Ports* —6H **41**
Durford Ct. *Hav* —3D **20**
Durham Gdns. *Water* —4H **19**
Durham St. *Gos* —1C **48**
Durham St. *Ports*
　　　　　　—2C **50** (2G **5**)
Durland Rd. *Water* —5C **6**

Durley Av. *Water* —4G **9**
Durley Rd. *Gos* —1B **48**
Durrants Gdns. *Row C* —1H **21**
Durrants Rd. *Row C* —2H **21**
Dursley Cres. *Ports* —3G **29**
Dymchurch Ho. *Ports* —3A **30**
Dymoke St. *Ems* —5C **22**
Dysart Av. *Ports* —4D **30**

Eagle Av. *Water* —3F **9**
Eagle Clo. *Fare* —3F **27**
Eagle Rd. *Lee S* —6F **37**
Earlsdon St. *S'sea*
　　　　—3C **50** (4F **5**)
Earls Rd. *Fare* —4B **26**
Earnley Rd. *Hay I* —5H **55**
Eastbourne Av. *Gos* —5F **39**
Eastbourne Rd. *Ports* —5C **42**
Eastbrook Clo. *Gos* —5F **39**
E. Cams Clo. *Fare* —2F **27**
Eastcliff Clo. *Lee S* —6H **37**
E. Copsey Path. *Ports* —3F **31**
E. Cosham Rd. *Ports* —2D **30**
East Ct. *Cosh* —3D **30**
East Ct. *Ports* —6A **42**
Eastcroft Rd. *Gos* —2B **48**
Eastern Av. *S'sea* —1H **51**
Eastern Ind. Est. *Ports*
　　　　—5E **31**
Eastern Pde. *Fare* —4B **26**
Eastern Pde. *S'sea* —6F **51**
Eastern Rd. *Hav* —1F **33**
Eastern Rd. *Ports* —3F **41**
(PO2)
Eastern Rd. *Ports* —6E **31**
(PO6 & PO3)
Eastern Vs. Rd. *S'sea* —6D **50**
Eastern Way. *Fare* —2C **26**
Eastfield Av. *Fare* —4H **25**
Eastfield Clo. *Ems* —2H **35**
Eastfield Rd. *S'sea* —4G **51**
Eastfield Rd. *S'wick* —1F **29**
East Ga. *Ports* —6G **41**
E. Hill Clo. *Fare* —1D **26**
East Ho. Av. *Fare* —3F **37**
Eastlake Heights. *S'sea* —4B **52**
Eastland Ga. Cotts. *Love* —2F **9**
Eastleigh Rd. *Hav* —6A **22**
East Lodge. *Fare* —2E **25**
East Lodge. *Lee S* —1C **46**
E. Lodge Pk. *Ports* —3H **31**
Eastney Esplanade. *S'sea*
　　　　—5G **51**
Eastney Farm Rd. *S'sea*
　　　　—4A **52**
Eastney Rd. *S'sea* —3H **51**
Eastney St. *S'sea* —5H **51**
Eastoke Av. *Hay I* —6F **55**
Eastover Ct. *Hav* —3D **20**
E. Pallant. *Hav* —2F **33**
East Rd. *S'wick* —3E **17**
East St. *Fare* —2C **26**
East St. *Hav* —2F **33**
East St. *Portc* —3B **28**
East St. *Ports* —4H **49** (5A **4**)
East St. *Titch* —3B **28**
East St. *Westb* —6F **23**
E. Surrey St. *Ports*
　　　　—2C **50** (2G **5**)
Eastwood Clo. *Hay I* —3D **54**
Eastwood Rd. *Ports* —1A **42**
Ebery Gro. *Ports* —1H **51**
Ecton La. *Ports* —2E **43**
Edenbridge Rd. *S'sea* —2H **51**
Eden Path. *Ports* —2E **31**
Eden Ri. *Fare* —3B **26**
Eden St. *Ports* —1C **50** (1G **5**)
Edgar Cres. *Fare* —5B **28**

Edgbaston Ho. *S'sea*
　　　　—3C **50** (4G **5**)
Edgecombe Cres. *Gos* —5C **38**
Edgefield Gro. *Water* —6C **10**
Edgell Rd. *Ems* —5F **23**
Edgerly Gdns. *Ports* —5B **30**
Edgeware Rd. *S'sea* —2G **51**
Edinburgh Rd. *Ports*
　　　　—2B **50** (2E **5**)
Edmund Rd. *S'sea* —4E **51**
Edneys La. *Water* —3D **8**
Education Path. *Ports* —4A **30**
Edward Gdns. *Hav* —2C **32**
Edward Gro. *Fare* —2C **28**
Edwards Clo. *Ports* —2F **29**
Edwards Clo. *Water* —5H **9**
Egan Clo. *Ports* —2B **42**
Eglantine Clo. *Water* —3B **10**
Eglantine Wlk. *Water* —3B **10**
Eileen Beard Ho. *Hav* —4G **21**
Elaine Gdns. *Water* —2H **9**
Elderberry Clo. *Clan* —1D **6**
Elderberry Way. *Water* —3B **10**
Elderfield Clo. *Ems* —6E **23**
Elderfield Rd. *Hav* —2D **20**
Elder Rd. *Hav* —6H **21**
Eldon Building. *S'sea*
　　　　—3C **50** (4F **5**)
Eldon Ct. *S'sea* —3C **50** (5F **5**)
Eldon St. *S'sea* —3C **50** (5F **5**)
Elettra Av. *Water* —1E **19**
Elgar Clo. *Gos* —5C **48**
Elgar Clo. *Ports* —3C **28**
Elgar Wlk. *Water* —4G **19**
Elgin Clo. *Fare* —1H **25**
Elgin Rd. *Ports* —5B **30**
Eling Ct. *Hav* —3D **20**
Elizabeth Clo. *Wick* —1A **14**
Elizabeth Ct. *Fare* —4H **25**
Elizabeth Ct. *Gos* —1C **48**
Elizabeth Ct. *Ports* —3B **30**
Elizabeth Gdns. *S'sea* —5F **51**
Elizabeth Rd. *Stub* —3F **37**
Elizabeth Rd. *Water* —4G **19**
Elizabeth Rd. *Wick* —1A **14**
Eliza Pl. *Gos* —2E **49**
Elkstone Rd. *Ports* —2F **29**
Ellachie Gdns. *Gos* —6D **48**
Ellachie M. *Gos* —6D **48**
Ellachie Rd. *Gos* —6D **48**
Ellerslie Clo. *Fare* —4C **36**
Ellesmere Orchard. *Ems*
　　　　—5F **23**
Elliots Cvn. Est. *Hay I* —5G **55**
Ellisfield Rd. *Hav* —5E **21**
Elm Clo. Est. *Hay I* —4B **54**
Elm Gro. *Gos* —2D **48**
Elm Gro. *Hay I* —4C **54**
Elm Gro. *S'sea* —4C **50** (6F **5**)
Elmhurst Rd. *Fare* —3B **26**
Elmhurst Rd. *Gos* —3E **49**
Elm La. *Hav* —2F **33**
Elmleigh Rd. *Hav* —1F **33**
Elm Lodge. *S'sea* —6H **5**
Elmore Av. *Lee S* —2D **46**
Elmore Clo. *Lee S* —2D **46**
Elmore Rd. *Lee S* —3D **46**
Elm Pk. Rd. *Hav* —1F **33**
Elm Rd. *Hav* —3G **33**
Elms Rd. *Fare* —4B **26**
Elm St. *S'sea* —4C **50** (6E **5**)
Elmswelle Rd. *Water* —1A **10**
Elmtree Rd. *Ports* —3G **31**
Elmwood Av. *Water* —3G **19**
Elmwood Lodge. *Fare* —1B **26**
Elmwood Rd. *Ports* —1A **42**
Elphinstone Rd. *S'sea* —5C **50**
Elsfred Rd. *Fare* —4C **36**
Elsie Fudge Ho. *Water* —6H **19**

Elson La. *Gos* —5G **39**
Elson Rd. *Gos* —5F **39**
Elstead Gdns. *Water* —5E **19**
Elwell Grn. *Hay I* —4B **54**
Ely Ct. *Gos* —2H **47**
Emanuel St. *Ports* —6H **41**
Embassy Ct. *S'sea* —3E **51**
Emerald Clo. *Water* —2A **20**
Empshott Rd. *S'sea* —3F **51**
Empson Wlk. *Lee S* —6H **37**
Emsbrook Dri. *Ems* —1D **34**
Emsworth By-Pass. *Ems*
　　　　—2A **34**
Emsworth Cen., The. *Ems*
　　　　—3D **34**
Emsworth Comn. Rd.
　　　　Hav & Ems —4B **22**
Emsworth Ho. *Ems* —2B **34**
Emsworth Ho. Clo. *Ems*
　　　　—2C **34**
Emsworth Rd. *Hav* —2G **33**
Emsworth Rd. *Ports* —4A **42**
Emsworth Rd. *Thor I* —6F **35**
(in two parts)
Endeavour Clo. *Gos* —3F **49**
Enderleigh Ho. *Hav* —2E **33**
Endofield Clo. *Fare* —5H **25**
Ennerdale Clo. *Water* —3C **6**
Ennerdale Rd. *Fare* —1F **37**
Ensign Dri. *Gos* —1H **47**
Enterprise Ho. *Ports* —3F **5**
Enterprise Ind. Est. *Water*
　　　　—5C **6**
Enterprise Rd. *Water* —5C **6**
Epperston Rd. *Water* —1A **10**
Epworth Rd. *Ports* —4B **42**
Erica Clo. *Water* —4B **10**
Erica Way. *Water* —3B **10**
Eric Rd. *Fare* —3E **37**
Eric Taplin Ct. *S'sea* —4E **51**
Ernest Clo. *Ems* —2D **34**
Ernest Rd. *Hav* —6C **20**
Ernest Rd. *Ports* —6A **42**
Escur Clo. *Ports* —1B **42**
Esher Gro. *Water* —5E **9**
Eskdale Clo. *Water* —3C **6**
Esmond Clo. *Ems* —2D **34**
Esmonde Clo. *Lee S* —1D **46**
Esplanade. *Lee S* —2C **46**
Esplanade Gdns. *S'sea*
　　　　—5A **52**
Esplanade, The. *Gos* —3G **49**
Essex Rd. *S'sea* —3G **51**
Esslemont Rd. *S'sea* —4F **51**
Estella Rd. *Ports* —5H **41**
Ethel Rd. *Ports* —1E **51**
Eton Rd. *S'sea* —3E **51**
Euryalus Rd. *Fare* —5H **25**
Eva Allaway Ct. *Ports* —3C **4**
Evans Clo. *Ports* —3F **41**
Evans Rd. *S'sea* —3G **51**
Evelegh Rd. *Ports* —3F **31**
Everdon La. *Ports* —1E **43**
Everell Ct. *S'sea* —6D **50**
Everglades Av. *Water* —4H **9**
Evergreen Clo. *Water* —2F **19**
Eversley Cres. *Hav* —5E **21**
Ewart Rd. *Ports* —6A **42**
Ewhurst Clo. *Hav* —5D **20**
Exbury Rd. *Hav* —4G **21**
Excellent Rd. *Fare* —6H **25**
Exchange Rd. *Ports*
　　　　—2B **50** (3E **5**)
Exeter Clo. *Ems* —6D **22**
Exeter Ct. *Gos* —1G **47**
Exeter Rd. *S'sea* —5F **51**
Exmouth Rd. *Gos* —5G **39**
Exmouth Rd. *S'sea* —5D **50**

Exton Gdns. *Fare* —1A **28**
Exton Rd. *Hav* —4H **21**

Faber Clo. *Hav* —5G **21**
Fabian Clo. *Water* —1A **20**
Fairacre Ri. *Fare* —3D **24**
Fairacre Wlk. *Fare* —4D **24**
Fairbourne Clo. *Water* —5G **9**
Fairfield Av. *Fare* —4G **25**
Fairfield Clo. *Ems* —1D **34**
Fairfield Rd. *Hav* —2F **33**
Fairfield Sq. *Ports* —3A **30**
Fairholme Clo. *Gos* —6G **39**
Fair Isle Clo. *Fare* —2D **36**
Fairlead Dri. *Gos* —1H **47**
Fairlea Rd. *Ems* —6D **22**
Fairmead Ct. *Hay I* —4A **54**
Fairmead Way. *Ems* —3B **34**
Fairmead Wlk. *Water* —4A **10**
Fair Oak Ct. *Gos* —4H **47**
Fair Oak Dri. *Hav* —6F **21**
Fairthorne Gdns. *Gos* —3C **48**
Fairview Ct. *Gos* —3A **48**
Fairwater Clo. *Gos* —4B **38**
Fairway Bus. Cen. *Ports*
　　　　—3D **42**
Fairway, The. *Fare* —3A **28**
Fairway, The. *Gos* —4F **38**
Fairway, The. *Row C* —5H **11**
Fairy Cross Way. *Water*
　　　　—4B **10**
Falcon Clo. *Fare* —3F **27**
Falcon Grn. *Ports* —4H **31**
Falcon Rd. *Water* —6A **6**
Falklands Clo. *Lee S* —6H **37**
Falklands Rd. *Ports* —1A **42**
Falmouth Rd. *Ports* —2D **28**
Fareham Enterprise Cen. *Fare*
　　　　—5A **26**
Fareham Heights. *Fare* —6D **14**
Fareham Ind. Pk. *Fare* —6D **14**
Fareham Pk. Rd. *Fare* —5E **13**
Fareham Rd. *Gos* —6B **26**
Fareham Rd. *S'wick* —4C **16**
Fareham Rd. *Wick* —2A **14**
Fareham Shop. Cen. *Fare*
　　　　—2B **26**
Farleigh Clo. *Hav* —4D **20**
Farlington Av. *Cosh* —2E **31**
Farlington Rd. *Ports* —4B **42**
Farm Edge Rd. *Fare* —4E **37**
Farm Ho. Clo. *Fare* —6E **25**
Farmhouse Way. *Water*
　　　　—2A **10**
Farm La. Clo. *Water* —3F **19**
Farmlea Rd. *Ports* —3E **29**
Farm Rd. *Fare* —1A **24**
Farmside Gdns. *Ports* —1B **42**
Farm Vw. *Ems* —6D **22**
Farm Vw. Av. *Water* —2F **7**
Faroes Clo. *Fare* —2D **36**
Farriers Ct. *S'sea* —5D **50**
Farriers Wlk. Gos —2F 49
(off Clarence Rd.)
Farriers Way. *Water* —6C **10**
Farrier Way. *Fare* —5B **26**
Farringdon Rd. *Hav* —5G **21**
Farthingale Ter. Ports
　　　　—4A 50 (6C 4)
(off Peacock La., in two parts)
Farthing La. *Ports*
　　　　—4A **50** (6C **4**)
Farthings Ga. *Water* —6G **19**
Fastnet Ho. *S'sea* —6D **50**
Fastnet Way. *Fare* —2D **36**
Fathoms Reach. *Hay I* —3A **54**
Fawcett Rd. *S'sea* —3E **51**
Fawley Ct. *Hav* —4H **21**

Fawley Rd.—Gladstone Gdns.

Fawley Rd. *Ports* —6A **30**
Fay Clo. *Fare* —3E **37**
Fayre Rd. *Fare* —4A **26**
Fearon Rd. *Ports* —3A **42**
Felix Rd. *Gos* —6H **39**
Fell Dri. *Lee S* —6H **37**
Feltons Pl. *Ports* —6B **30**
Fen Av. *Fare* —4B **26**
Fennell Clo. *Water* —6F **9**
Ferncroft Clo. *Fare* —4E **37**
Ferndale. *Water* —2H **19**
Ferndale M. *Gos* —1B **38**
Fern Dri. *Hav* —1G **33**
Ferneham Rd. *Fare* —1E **25**
Fernhurst Clo. *Hay I* —4H **53**
Fernhurst Rd. *S'sea* —3F **51**
Fernie Clo. *Fare* —3D **36**
Fern Way. *Fare* —6A **12**
Fernwood Ho. *Cowp* —5A **10**
Ferrol Rd. *Gos* —1E **49**
Ferry Gdns. *Gos* —3G **49**
Ferry Rd. *S'sea* —4B **52**
(in two parts)
Festing Gro. *S'sea* —5F **51**
Festing Rd. *S'sea* —5F **51**
Field Clo. *Gos* —6B **26**
Fielder Dri. *Fare* —5B **26**
Fielders Ct. *Water* —5E **19**
Fieldfare Clo. *Water* —1C **6**
Fieldhouse Dri. *Lee S* —5H **37**
Fieldmore Rd. *Gos* —6H **39**
Field Way. *Water* —3B **8**
Fifth Av. *Hav* —1H **33**
Fifth Av. *Ports* —3A **30**
Fifth St. *Ports* —6B **42**
Filmer Clo. *Gos* —5D **38**
Finchdean Rd. *Hav* —5D **20**
Finch Rd. *S'sea* —4B **52**
Finchwood Farm Ind. Units.
Hay I —4D **44**
Findon Rd. *Gos* —5H **39**
Finisterre Clo. *Fare* —1D **36**
Fir Copse Rd. *Water* —6F **19**
Firgrove Cres. *Ports* —6B **30**
Firlands Ri. *Hav* —2A **32**
Firs Av. *Water* —5H **9**
First Av. *Cath* —2C **6**
First Av. *Cosh* —3B **30**
First Av. *Ems* —3H **35**
First Av. *Farl* —3F **31**
First Av. *Hav* —1H **33**
Firs, The. *Gos* —4D **38**
Fir Tree Gdns. *Water* —2C **10**
Fir Tree Rd. *Hay I* —4C **54**
Fisgard Rd. *Gos* —6H **39**
Fisher Clo. *Fare* —2D **36**
Fishermans, The. *Ems* —3E **35**
Fisherman's Wlk. *Fare* —4B **28**
Fisherman's Wlk. *Hay I*
—5G **55**
Fisher Rd. *Gos* —2C **38**
Fishers Gro. *Ports* —4G **31**
Fishers Hill. *Fare* —1C **24**
Fishery Creek Cvn. Pk. *Hay I*
—5F **55**
Fishery La. *Hay I* —5E **55**
Fitzherbert Rd. *Ports* —4F **31**
Fitzherbert Spur. *Farl* —4G **31**
Fitzherbert St. *Ports* —1C **50**
Fitzpatrick Ct. *Ports* —2H **29**
Fitzroy Wlk. *Ports* —1D **50**
Fitzwilliam Av. *Fare* —3C **36**
Fitzwygram Cres. *Hav* —6F **21**
Five Heads Rd. *Water* —5A **6**
Five Post La. *Gos* —1D **48**
Flag Staff Grn. *Gos* —1F **49**
Flag Wlk. *Water* —2H **9**
Flamingo Ct. *Fare* —3F **27**
Flanders Ho. *Fare* —3G **25**

Flathouse Quay. *Ports* —6G **41**
Flathouse Rd. *Ports*
—1B **50** (1D **4**)
(Anchor Ga. Rd.)
Flathouse Rd. *Ports* —6G **41**
(Victory Retail Pk.)
Fleet Clo. *Gos* —4D **38**
Fleetend Clo. *Hav* —3E **21**
Fleet Farm Camping & Cvn.
Site. *Hay I* —5C **44**
Fleming Clo. *Fare* —5A **12**
Flexford Gdns. *Hav* —6G **21**
Flinders Ct. *S'sea* —5H **51**
Flinton Ho. Path. *Ports* —5E **31**
Flint St. *S'sea* —4B **50** (6E **5**)
Florence Rd. *S'sea* —6D **50**
Florentine Way. *Water* —1A **20**
Florins, The. *Water* —6G **19**
Flying Bull Clo. Ports —5H *41*
(off Flying Bull La.)
Flying Bull La. *Ports* —5H **41**
Foley Ho. *Ports* —1D **50**
Folkestone Rd. *Ports* —6C **42**
Fontley La. *L Hth* —6C **12**
Fontley Rd. *Titch* —5C **12**
(in two parts)
Fontwell M. *Water* —6B **10**
Fontwell Rd. *S'sea* —5D **50**
Forbury Rd. *S'sea*
—3D **50** (4H **5**)
Fordingbridge Rd. *S'sea*
—4H **51**
Ford Rd. *Gos* —1B **48**
Foreland Ct. *Hay I* —5E **55**
Foremans Cotts. *Gos* —5F **49**
Forest Av. *Water* —4H **9**
Forest Clo. *Water* —4H **9**
Forest End. *Water* —2F **19**
Forest La. *Fare* —1C **14**
Forest Mead. *Water* —4B **8**
Forest Rd. *Den & Water* —3A **8**
Forestside Av. *Hav* —4G **21**
Forest Way. *Gos* —3D **38**
Forneth Gdns. *Fare* —3D **24**
Forsythia Clo. *Hav* —5H **21**
Fort Cumberland Rd. *S'sea*
—4B **52**
Fort Fareham Ind. Site. *Fare*
—5A **26**
Fort Fareham Rd. *Fare* —5H **25**
Forth Clo. *Fare* —2D **36**
Forties Clo. *Fare* —1D **36**
Forton Rd. *Gos* —1C **48**
Forton Rd. *Ports* —1E **51**
Fort Rd. *Gos* —6C **48**
Fortune Ho. *Gos* —2C **48**
Fortunes Way. *Hav* —2H **31**
Fort Wallington Ind. Est. *Fare*
—1D **26**
Forum, The. *Hav* —1E **33**
Foster Clo. *Fare* —1E **37**
Foster Rd. *Gos* —4C **48**
Foster Rd. *Ports* —1D **50**
Founders Way. *Gos* —3D **38**
Foundry Ct. Ports
—2A **50** (2C **4**)
Fountain St. *Ports*
—2C **50** (2F **5**)
Four Marks Grn. *Hav* —3H **21**
Fourth Av. *Hav* —1H **33**
Fourth Av. *Ports* —3A **30**
Fourth St. *Ports* —1F **51**
Foxbury. *Gos* —1D **38**
Foxbury Gro. *Fare* —4H **27**
Foxbury La. *Gos* —1D **38**
(in two parts)
Foxbury La. *Westb* —6F **23**
Foxcott Gro. *Hav* —4F **21**
Foxes Clo. *Water* —3G **19**

Foxgloves. *Fare* —6C **14**
Foxlea Gdns. *Gos* —6H **39**
Foxley Dri. *Ports* —1D **42**
Frances Rd. *Pur* —6F **19**
Francis Av. *S'sea* —4F **51**
Francis Clo. *Lee S* —2E **47**
Francis Pl. *Fare* —3F **37**
Francis Rd. *Horn* —2C **6**
Frank Judd Ct. *Ports* —3C **4**
Frankland Ter. *Ems* —3E **35**
Franklin Rd. *Gos* —6C **38**
Frank Miles Ho. *S'sea* —5G **5**
Frarydene. Prin —3H **35**
Fraser Gdns. *Ems* —1H **35**
Fraser Rd. *Gos* —1C **38**
Fraser Rd. *Hav* —1D **32**
Fraser Rd. *Ports* —3F **41**
Fraser Rd. *S'sea*
—3D **50** (4H **5**)
Frater La. *Gos* —4G **39**
Fratton Ct. Ports —2E *51*
(off Penhale Rd.)
Fratton Ind. Est. *S'sea* —2F **51**
Fratton Rd. *Ports* —2E **51**
Frederick St. *Ports* —1C **50**
Freefolk Grn. *Hav* —3H **21**
Freemantle Rd. *Gos* —6H **39**
Freestone Rd. *S'sea* —5D **50**
Frenchies Vw. *Water* —3A **8**
French St. *Ports*
—4A **50** (6B **4**)
Frendstaple Rd. *Water* —2H **19**
Frensham Ct. *S'sea* —3F **51**
Frensham Rd. *S'sea* —3F **51**
Freshfield Gdns. *Water*
—1G **19**
Freshwater Ct. *Lee S* —1C **46**
Freshwater Ho. *Fare* —3E **25**
Freshwater Rd. *Ports* —4A **30**
Friars Pond Rd. *Fare* —2E **25**
Friary Clo. *S'sea* —5D **50**
Friary, The. *S'sea* —5C **50**
Frobisher Clo. *Gos* —1G **47**
Frobisher Gdns. *Ems* —3D **34**
Frobisher Gro. *Fare* —4A **28**
Frobisher Ho. *Ports*
—2A **50** (2B **4**)
Froddington Rd. *S'sea* —3D **50**
Frogham Grn. *Hav* —3C **20**
Frogmore. *Fare* —3E **25**
Frogmore La. *Water* —2H **9**
Frogmore Rd. *S'sea* —3G **51**
Frosthole Clo. *Fare* —6G **13**
Frosthole Cres. *Fare* —6G **13**
Froude Av. *Gos* —5E **49**
Froude Rd. *Gos* —5E **49**
Froxfield Gdns. *Fare* —2A **28**
Froxfield Ho. Ports
—1D **50** (1H **5**)
(off Buriton St.)
Froxfield Rd. *Hav* —4H **21**
Froyle Ct. *Hav* —4H **21**
Fry Rd. *Gos* —2E **49**
Fulflood Rd. *Hav* —4E **21**
Fullerton Clo. *Hav* —4H **21**
Fulmar Wlk. *Gos* —2A **38**
Fulmer Wlk. *Water* —3G **9**
Funtington Rd. *Ports* —5B **42**
Funtley Ct. *Fare* —5G **13**
Funtley Hill. *Fare* —5G **13**
Funtley La. *Fare* —4G **13**
Funtley Rd. *Fare* —3F **13**
Furdies. *Water* —3A **8**
Furlonge Ho. *Ems* —2C **34**
Furneaux Gdns. *Fare* —6B **14**
Furness Rd. *S'sea* —6D **50**
Furniss Way. *Hay I* —3H **53**
Furnston Gro. *Ems* —2H **35**
Fury Way. *Fare* —2D **36**

Furzedown Cres. *Hav* —4G **21**
Furze Hall. *Fare* —5B **14**
Furzehall Av. *Fare* —6B **14**
Furze La. *S'sea* —3B **52**
Furzeley Rd. *Water* —5B **8**
Furze Way. *Water* —3B **10**
Furzley Ct. *Hav* —3C **20**
Fushia Clo. *Hav* —5A **22**
Fyning St. *Ports*
—1D **50** (1H **5**)

Gable M. *Hay I* —3C **54**
Gainsborough Ho. *S'sea*
—5E **51**
Gainsborough M. *Fare* —3B **24**
Gains Rd. *S'sea* —5E **51**
Galaxie Rd. *Water* —3B **10**
Gale Moor Av. *Gos* —4H **47**
Galt Rd. *Ports* —3G **31**
Gamble Rd. *Ports* —5H **41**
Gannets, The. *Fare* —2D **36**
Garden Clo. *Hay I* —4B **54**
Garden Ct. *Fare* —3B **28**
Gardenia Dri. *Fare* —6A **12**
Garden La. *S'sea* —4C **50**
Gardens, The. *Hav* —2H **33**
Garden Ter. *S'sea* —5D **50**
Gardner Rd. *Fare* —4B **24**
Garfield Rd. *Ports* —5H **41**
Garland Av. *Ems* —6D **22**
Garland Ct. *Gos* —2D **48**
Garnett Clo. *Fare* —1E **37**
Garnier Pk. *Wick* —1A **14**
Garnier St. *Ports* —2D **50**
Garrick Ho. *Ports* —1B **42**
Garsons Rd. *Ems* —3H **35**
Garstons Clo. *Fare* —3B **24**
Garstons Rd. *Fare* —3B **24**
Gatcombe Av. *Ports* —3B **42**
Gatcombe Dri. *Ports* —2B **42**
Gatcombe Gdns. *Fare* —3D **24**
Gate Ho. Rd. *Fare* —4G **27**
Gaulter Clo. *Hav* —6G **21**
Gawn Pl. *Gos* —5E **49**
Gaylynn Way. *Fare* —3D **24**
Gaza Ho. *Fare* —6E **13**
Gazelle Clo. *Gos* —2H **47**
Genoa Ho. *Port S* —4E **29**
Geoffrey Av. *Water* —1D **30**
Geoffrey Cres. *Fare* —4B **26**
George Byng Way. *Ports*
—5G **41**
George Ct., The. *Ports* —6C **4**
George St. *Gos* —2E **49**
George St. *Ports* —6A **42**
Georgia Clo. *Lee S* —6H **37**
Gerard Ho. *Ports* —1A **42**
Gibraltar Clo. *Fare* —1F **25**
Gibraltar Rd. *Fare* —5H **25**
Gibraltar Rd. *S'sea* —4B **52**
Gibson Clo. *Lee S* —6H **37**
(in two parts)
Gibson Clo. *White* —3A **12**
Gifford Clo. *Fare* —1G **25**
Gilbert Clo. *Gos* —5D **38**
Gilbert Mead. *Hay I* —3A **54**
Gilbert Way. *Water* —4G **19**
Giles Clo. *Fare* —6B **14**
Giles Clo. *Gos* —1C **48**
Gilkicker Rd. *Gos* —6E **49**
Gillies, The. *Fare* —2A **26**
(in two parts)
Gillman Rd. *Ports* —2G **31**
Gitsham Gdns. *Water* —6E **19**
Glade, The. *Fare* —5F **13**
Glade, The. *Hay I* —6E **55**
Glade, The. *Water* —1A **20**
Gladstone Gdns. *Fare* —4A **28**

Harcourt Rd.—Hollam Dri.

Hollam Rd. *S'sea* —2H **51**
Holland Pl. *Gos* —3D **38**
Holland Rd. *S'sea* —3E **51**
Hollow La. *Hay I* —4B **54**
Hollybank. *Lee S* —2D **46**
Hollybank Clo. *Water* —2C **10**
Hollybank La. *Ems* —5D **22**
Holly Dri. *Water* —3A **20**
Holly Gro. *Fare* —5G **13**
Holly St. *Gos* —3E **49**
Hollywell Dri. *Port S* —4F **29**
Holman Clo. *Water* —5A **10**
Holmbush Ct. *S'sea* —4C **50**
Holmdale Rd. *Gos* —6F **39**
Holmefield Av. *Fare* —5H **25**
Holne Ct. *S'sea* —4A **52**
Holst Way. *Water* —4G **19**
Holt Clo. *Wick* —1A **14**
Holt Gdns. *Row C* —4H **11**
Holybourne Rd. *Hav* —6F **21**
Holyrood Clo. *Water* —2A **20**
Homefayre Ho. *Fare* —2B **26**
Homefield Path. *Ports* —4E **31**
Homefield Rd. *Ems* —5F **23**
Homefield Rd. *Ports* —4E **31**
Homefield Way. *Water* —1F **7**
Homefort Ho. *Fare* —3D **48**
  (off Stoke Rd.)
Homegrove Ho. *S'sea*
        —4D **50** (6H **5**)
Homeheights. *S'sea* —5C **50**
Home Mead. *Water* —4B **8**
Homer Clo. *Gos* —5B **38**
Homer Clo. *Water* —5G **9**
Homerose Ho. *S'sea*
        —3C **50** (5G **5**)
Homeryde Ho. *Lee S* —2C **46**
Homesea Ho. *S'sea*
        —4C **50** (5G **5**)
Homewell. *Hav* —2F **33**
Honey La. *Fare* —4F **13**
Honeysuckle Clo. *Gos* —2B **38**
Honeysuckle Ct. *Water* —4H **19**
Honeywood Clo. *Ports* —1B **42**
Hook's Farm Way. *Hav* —6D **20**
Hook's La. *Hav* —6C **20**
  (in two parts)
Hope St. *Ports* —1C **50**
Hopfield Clo. *Water* —2G **19**
Hopfield M. *Water* —3G **19**
Hopkins Clo. *Ports* —3C **28**
Hopkins Ct. *S'sea* —5H **51**
Hordle Rd. *Hav* —5B **20**
Hornbeam Rd. *Hav* —6H **21**
Horndean Cvn. Site. *Horn*
        —4C **6**
Horndean Ho. *Ports*
        —1D **50** (1H **5**)
Horndean Precinct. *Horn*
        —6D **6**
Horndean Rd. *Ems* —4B **22**
Hornet Clo. *Fare* —1F **25**
Hornet Clo. *Gos* —4E **49**
Hornetide Ho. *Lee S* —2C **46**
Hornet Rd. *Fare* —6H **25**
Horsea La. *Ports* —1H **41**
Horsea Rd. *Ports* —1A **42**
Horse Sands Clo. *S'sea*
        —4B **52**
Horton Rd. *Gos* —1C **38**
Hoskins Ho. *Ports* —1D **4**
Hospital La. *Fare* —5C **28**
Houghton Clo. *Hav* —3H **21**
House Farm Rd. *Gos* —3A **48**
Hove Ct. *Lee S* —1C **46**
Howard Lodge. *S'sea* —5C **50**
Howard Rd. *Ports* —1A **42**
Howe Rd. *Gos* —1G **47**
Hoylake Clo. *Gos* —4C **38**

Hoylake Rd. *Ports* —2E **31**
Hoylecroft Clo. *Fare* —6G **13**
Hudson Clo. *Gos* —1G **47**
Hudson Rd. *S'sea*
        —3D **50** (5H **5**)
Hulbert Rd. *Water & Hav*
  (in three parts)   —1G **19**
Humber Clo. *Fare* —2D **36**
Hundred, The. *Water* —6F **9**
Hunter Clo. *Gos* —6D **38**
Hunter Rd. *Ports* —2B **30**
Hunter Rd. *S'sea* —4F **51**
Hunters Lodge. *Fare* —2D **24**
Hunters Ride. *Water* —3G **19**
Huntley Clo. *Ports* —2F **29**
Huntsman Clo. *Water* —2H **9**
Hurn Ct. *Hav* —3H **21**
Hursley Rd. *Hav* —4D **20**
Hurstbourne Clo. *Hav* —3D **20**
Hurst Clo. *Fare* —4C **36**
Hurst Grn. *Gos* —3B **38**
Hurst Grn. Clo. *Water* —5B **10**
Hurstville Dri. *Water* —3H **19**
  (in two parts)
Hurstwood Av. *Ems* —2H **35**
Hutfield Ct. *Gos* —2D **48**
  (off Lees La.)
Hyde Pk. Ho. *S'sea*
        —3C **50** (4G **5**)
Hyde Pk. Rd. *S'sea*
        —3C **50** (4G **5**)
Hyde St. *S'sea* —4C **50** (6F **5**)
Hythe Rd. *Ports* —2A **30**

Ian Gibson Ct. *S'sea* —2D **50**
  (off Carlisle Rd.)
Ibsley Gro. *Hav* —6D **20**
Icarus Pl. *Water* —1H **31**
Idsworth Clo. *Horn* —1E **11**
Idsworth Ho. *Ports* —1G **5**
Idsworth Rd. *Cowp* —5B **10**
Idsworth Rd. *Ports* —5C **42**
Iford Ct. *Hav* —3H **21**
Ilex Wlk. *Hay I* —4E **55**
Implacable Rd. *Lee S* —6F **37**
Ingledene Clo. *Gos* —3D **48**
Ingledene Clo. *Hav* —1D **32**
Ingleside Clo. *Fare* —3D **24**
Inglis Rd. *S'sea* —4E **51**
Inhams La. *Water* —3A **8**
Inhurst Av. *Water* —6A **10**
Inhurst Rd. *Ports* —3A **42**
Inkpen Wlk. *Hav* —2D **20**
Inner Relief Rd. *Water* —1F **19**
Invergordon Av. *Ports* —4D **30**
Inverkip Clo. *Lee S* —6G **37**
Inverness Av. *Fare* —6G **13**
Inverness Rd. *Gos* —1C **48**
Inverness Rd. *Ports* —6A **42**
Iping Av. *Hav* —4E **21**
Ireland Way. *Water* —4G **19**
Ironbridge La. *S'sea* —3A **52**
Iron Mill Clo. *Fare* —6F **13**
Ironmill La. *Titch* —4D **12**
Irvine Clo. *Fare* —6A **14**
Irwin Heights. *Gos* —5G **39**
Isambard Brunel Rd. *Ports*
        —2C **50** (3F **5**)
Island Clo. *Hay I* —2B **44**
Island Vw. Ter. *Ports* —4G **41**
Island Vw. Wlk. *Fare* —2A **28**
Islay Gdns. *Ports* —2B **30**
Itchenor Rd. *Hay I* —5H **55**
Itchen Rd. *Hav* —3H **21**
Ithica Clo. *Hay I* —3C **54**
Ivy Ct. *Water* —5F **19**
Ivydene Gdns. *Water* —3A **10**

Ivy Ho. *Gos* —3E **49**
Ivy La. *Navy* —1A **50**
Ivy Orchard. *Water* —1F **7**

Jacaranda Clo. *Fare* —5A **12**
Jack Cockerill Way. *S'sea*
        —6D **50**
Jackdaw Clo. *Cowp* —3G **9**
Jackson Clo. *Ports* —4E **31**
Jacobs Clo. *Water* —2G **7**
Jacob's St. *Ports*
        —1C **50** (1G **5**)
Jacomb Pl. *Gos* —5D **38**
Jacqueline Av. *Water* —5F **19**
Jade Ct. *Gos* —1G **47**
Jago Rd. *Ports* —1H **49** (1A **4**)
Jamaica Pl. *Gos* —3E **49**
Jamaica Rd. *Gos* —2F **49**
James Butcher Ct. *S'sea*
        —6D **50**
  (off Eastern Villas Rd.)
James Callaghan Dri. *Fare*
        —1D **28**
James Clo. *Gos* —1C **38**
James Clo. *Hay I* —3A **54**
James Copse Rd. *Water*
        —2H **9**
James Howell Ct. *Water*
        —3B **8**
James Rd. *Gos* —1C **38**
James Rd. *Hav* —1E **33**
Japonica Way. *Hav* —6A **22**
Jarndyce Wlk. *Ports* —6H **41**
Jasmine Ct. *Gos* —1G **47**
Jasmine Gro. *Water* —3A **20**
Jasmine Wlk. *Fare* —3G **25**
Jasmine Way. *Water* —2G **7**
Jasmond Rd. *Ports* —5B **30**
Jason Pl. *Water* —1G **31**
Jason Way. *Gos* —5F **39**
Jay Clo. *Fare* —6D **24**
Jay Clo. *Water* —6A **6**
Jellicoe Av. *Gos* —5B **48**
Jellicoe Ho. *Ports* —1H **5**
Jellicoe Way. *Ports* —4F **41**
Jenkins Gro. *Ports* —6D **42**
Jenner Rd. *Ports* —2B **30**
Jerram Clo. *Gos* —4B **48**
Jersey Clo. *Fare* —4F **37**
Jersey Rd. *Ports* —5A **42**
Jervis Dri. *Gos* —1D **48**
Jervis Rd. *Ports* —3G **41**
Jessica Clo. *Water* —6B **10**
Jessie Rd. *Gos* —3C **48**
Jessie Rd. *Hav* —6C **20**
Jessie Rd. *S'sea* —3E **51**
Jodrell Clo. *Water* —6C **6**
John Marshall Ct. *Ports*
        —5H **41**
John Pounds Cen. *Ports*
        —2B **50** (2D **4**)
Johnson Vw. *White* —3A **12**
Johns Rd. *Fare* —4B **26**
Jonathan Rd. *Fare* —2G **25**
Joseph Nye Ct. *Ports* —3C **4**
Joseph St. *Gos* —3E **49**
Jubilee Av. *Ports* —2C **28**
Jubilee Bus. Cen. *Water*
        —1F **19**
Jubilee Clo. *Fare* —4A **26**
Jubilee Ho. *Ems* —2B **34**
Jubilee Path. *Hav* —2D **32**
Jubilee Rd. *Fare* —3B **28**
Jubilee Rd. *Gos* —2D **48**
Jubilee Rd. *S'sea* —4F **51**
Jubilee Rd. *Water* —6F **9**
Jubilee Ter. *S'sea*
        —4B **50** (6E **5**)

Julie Av. *Fare* —2G **25**
Juliet Ct. *Water* —1A **20**
Juniper Rd. *Water* —4C **6**
Juniper Sq. *Hav* —3F **33**
Jura Clo. *Ports* —2C **30**
Justin Clo. *Fare* —3G **25**
Jute Clo. *Fare* —2H **27**
Juventu Clo. *Hav* —5G **21**

Karen Av. *Ports* —5E **31**
Kassassin St. *S'sea* —5G **51**
Kassel Clo. *Water* —1B **20**
Katrina Gdns. *Hay I* —2C **54**
Kealy Rd. *Gos* —1C **48**
Kearsney Av. *Ports* —2A **42**
Keast Wlk. *Gos* —1D **38**
Keats Av. *Ports* —2C **28**
Keats Clo. *Water* —3H **9**
Keats Ho. *Hav* —5E **21**
Keelan Ct. *S'sea* —5D **50**
Keel Clo. *Gos* —6D **38**
Keeper's Clo. *Ports* —2E **43**
Keep, The. *Fare* —3B **28**
Kefford Clo. *Water* —1B **10**
Keith Clo. *Gos* —1D **48**
Keith Ho. *Ports* —2C **4**
Kelly Ct. *Fare* —1B **26**
Kelly Ct. *S'sea* —4E **51**
Kelly Rd. *Water* —4G **19**
Kelsey Av. *Ems* —2H **35**
Kelsey Head. *Port S* —4E **29**
Kelvin Gro. *Fare* —3B **28**
Kempenfelt Ho. *Ports* —2C **4**
Kempton Pk. *Water* —6B **10**
Kemshott Ct. *Hav* —3D **20**
Ken Berry Ct. *Hav* —3H **21**
Kench, The. *Hay I* —3G **54**
Kendal Av. *Ports* —4C **42**
Kendal Clo. *Water* —3A **10**
Kenilworth Clo. *Lee S* —6H **37**
Kenilworth Rd. *S'sea* —6D **50**
Kennedy Av. *Fare* —6G **13**
Kennedy Clo. *Water* —5F **19**
Kennedy Cres. *Gos* —5A **48**
Kennet Clo. *Gos* —6D **48**
Kensington Rd. *Gos* —4E **49**
Kensington Rd. *Ports* —3B **42**
Kent Gro. *Fare* —5A **28**
Kentidge Rd. *Water* —4F **19**
Kent Rd. *Gos* —1B **38**
Kent Rd. *S'sea* —4B **50**
Kent St. *Ports* —2A **50** (3C **4**)
Kenwood Rd. *Fare* —5B **28**
Kenya Rd. *Gos* —3A **38**
Kenyon Rd. *Ports* —3B **42**
Kestrel Clo. *Fare* —1D **36**
Kestrel Clo. *Water* —1C **6**
Kestrel Pl. *Ports* —4H **31**
Keswick Av. *Ports* —5C **42**
Kettering Ter. *Ports* —5G **41**
Keydell Av. *Water* —2A **10**
Keydell Clo. *Water* —2A **10**
Keyes Clo. *Gos* —2C **38**
Keyes Ct. *S'sea* —5D **50**
  (off Albert Rd.)
Keyes Rd. *Gos* —2C **38**
Keyhaven Clo. *Gos* —3A **38**
Keyhaven Dri. *Hav* —4C **20**
Khandala Gdns. *Water* —5H **19**
Kidmore La. *Water* —1B **8**
Kielder Gro. *Gos* —3D **38**
Kilbride Path. *Ports* —5H **41**
Kilmeston Clo. *Hav* —3F **21**
Kilmiston Clo. *Ports* —6A **42**
Kilmiston Dri. *Fare* —2A **28**
Kiln Acre. Ind. Site. *Fare*
        —6B **14**
Kiln Rd. *Fare* —5H **13**

Kiln Rd.—Link Way

Kiln Rd. *Ports* —4C **42**
Kilnside. *Water* —4B **8**
Kilpatrick Clo. *Ports* —5H **41**
Kilwich Way. *Fare* —5H **27**
Kimberley Rd. *S'sea* —5G **51**
Kimbolton Rd. *Ports* —1G **51**
Kimbridge Cres. *Hav* —3G **21**
Kimpton Clo. *Lee S* —1D **46**
Kimpton Ct. *Hav* —3H **21**
King Albert Ct. *Ports* —1E **51**
King Albert St. *Ports* —1D **50**
King Arthur's Ct. *Ports* —3F **31**
King Charles St. *Ports*
 —3A **50** (5B **4**)
King Edward's Cres. *Ports*
 —3H **41**
Kingfisher Cvn. Pk. *Gos*
 —4G **47**
Kingfisher Clo. *Hay I* —5E **55**
Kingfisher Clo. *Row C* —6H **11**
Kingfisher Clo. *Water* —3G **9**
Kingfisher Ct. *Hav* —6H **21**
Kingfisher Dri. *Ems* —5F **23**
Kingfishers. *Fare* —3F **27**
King George Rd. *Fare* —4A **28**
King Henry Building. *Ports*
 —2B **50** (3E **5**)
King Henry I St. *Ports*
 —2B **50** (3E **5**)
King James Ter. *Ports* —6B **4**
King John Av. *Fare* —4H **27**
King Richard Clo. *Ports*
 —3H **29**
King Richard I Rd. *Ports*
 —2B **50** (3E **5**)
Kings Bench All. *Ports*
 —2A **50** (2C **4**)
Kingsclere Av. *Hav* —3D **20**
Kings Clo. *Row C* —5G **11**
Kingscote Rd. *Cosh* —1D **28**
Kingscote Rd. *Cowp* —4F **9**
Kingscroft Ct. *Hav* —2D **32**
Kings Cft. La. *Hav* —2C **32**
Kingsdown Pl. *Ports* —2E **51**
Kingsdown Rd. *Water* —5E **9**
Kingsey Av. *Ems* —3C **34**
Kingsland Clo. *Ports* —2G **29**
Kingsley Grn. *Ports* —3E **21**
Kingsley Ho. *Ems* —3C **34**
Kingsley Rd. *Gos* —6F **39**
Kingsley Rd. *S'sea* —4H **51**
Kingsmead Av. *Fare* —4F **37**
Kings Mede. *Water* —2A **10**
Kingsmill Clo. *Gos* —4B **48**
King's Rd. *Cowp* —4H **9**
King's Rd. *Ems* —3C **34**
King's Rd. *Fare* —2B **26**
King's Rd. *Gos* —3D **48**
Kings Rd. *Hay I* —1C **54**
King's Rd. *Lee S* —6G **37**
King's Rd. *S'sea* —4B **50** (6E **5**)
King's Ter. *Ems* —3D **34**
King's Ter. *S'sea* —4B **50** (6E **5**)
Kingston Cres. *Ports* —5H **41**
Kingston Gdns. *Fare* —5F **13**
Kingston Rd. *Gos* —2B **48**
Kingston Rd. *Ports* —5H **41**
King St. *Ems* —3E **35**
King St. *Gos* —2F **49**
King St. *S'sea* —3B **50** (5E **5**)
 (in two parts)
King St. *Westb* —6F **23**
Kingsway. *Hay I* —2C **54**
Kings Way. *Row C* —6G **11**
Kingsway, The. *Fare* —3A **28**
Kingswell Path. *Ports*•
 —1C **50** (1F **5**)
Kingswell St. *Ports*
 —2C **50** (2F **5**)

Kingsworthy Rd. *Hav* —6F **21**
King William St. *Ports*
 —1A **50** (1C **4**)
Kinnell Clo. *Ems* —3D **34**
Kinross Cres. *Ports* —4D **30**
Kintyre Rd. *Ports* —2B **30**
Kipling Rd. *Ports* —2A **42**
Kirby Rd. *Ports* —3A **42**
Kirkstall Rd. *S'sea* —6E **51**
Kirtley Clo. *Ports* —5E **31**
Kirton Rd. *Ports* —4E **31**
Kite Clo. *Water* —3G **9**
Kittiwake Clo. *Gos* —3B **38**
Kitwood Grn. *Hav* —4H **21**
Kneller Ct. *Fare* —5H **13**
Knights Bank Rd. *Fare* —4B **36**
Knightstone Ct. *Ports* —1B **42**
Knightwood Av. *Hav* —4G **21**
Knollys Ho. *Ports* —1E **51**
Knowsley Cres. *Ports* —4C **30**
Knowsley Rd. *Ports* —4B **30**
Knox Rd. *Hav* —2D **32**
Knox Rd. *Ports* —4G **41**
Kynon Clo. *Gos* —5A **40**

Laburnum Av. *Cosh* —4E **31**
Laburnum Gro. *Hay I* —3D **54**
Laburnum Gro. *Ports* —4A **42**
Laburnum Path. *Ports* —3E **31**
Laburnum Rd. *Fare* —4B **26**
Laburnum Rd. *Water* —3F **19**
Ladram Rd. *Gos* —3A **48**
Lady Betty's Dri. *Fare* —3A **12**
Ladybridge Rd. *Water* —5E **19**
Ladywood Ho. *S'sea*
 —3C **50** (4G **5**)
Lake Rd. *Ports* —1C **50** (1G **5**)
Lakeside. *Fare* —4G **13**
Lakeside. *Lee S* —3D **46**
Lakeside Av. *Ports* —6D **42**
Lakeside Ct. *S'sea* —5F **51**
Lakeside Gdns. *Hav* —1F **33**
Lakeside Holiday Village. *Hay I*
 —5F **55**
Lakesmere Rd. *Horn* —1C **10**
Lambert Clo. *Water* —4G **19**
Lambourn Clo. *Fare* —3F **25**
Lampeter Av. *Ports* —3D **30**
Lancaster Clo. *Fare* —2H **27**
Lancaster Clo. *Lee S* —3F **47**
Lancaster Way. *Water* —1H **19**
Landguard Rd. *S'sea* —4G **51**
Landon Ct. *Gos* —5C **48**
Landon Rd. *Gos* —5D **38**
Landport St. *Ports*
 —1D **50** (1H **5**)
Landport St. *S'sea*
 —3B **50** (5E **5**)
Landport Ter. *Ports*
 —3B **50** (5E **5**)
Landport Vw. *Ports*
 —1C **50** (1G **5**)
La. End Dri. *Ems* —3D **34**
Lanes End. *Fare* —3E **37**
Lane, The. *Gos* —6C **48**
Lane, The. *S'sea* —5F **51**
Langbrook Clo. *Hav* —3F **33**
Langdale Av. *Ports* —4D **30**
Langford Rd. *Ports* —6B **42**
Langley Rd. *Ports* —5A **42**
Langrish Clo. *Hav* —3G **21**
Langstone Av. *Hav* —4F **33**
Langstone Bri. *Hav & Hay I*
 —6G **33**
Langstone High St. *Hav*
 —5F **33**
Langstone Ho. *Fare* —4A **26**
Langstone Ho. *Hav* —6G **21**

Langstone Marina Heights.
 S'sea —4B **52**
Langstone Rd. *Hav* —3F **33**
Langstone Rd. *Ports* —1G **51**
Langstone Wlk. *Fare* —3F **25**
Langstone Wlk. *Gos* —3B **38**
Lansdowne Av. *Fare* —5B **28**
Lansdowne Av. *Water* —6D **18**
Lansdowne Ho. *Gos* —1C **48**
Lansdowne St. *S'sea*
 —3B **50** (5E **5**)
Lansdown Ter. *Ems* —4F **23**
Lantana Clo. *Water* —3H **19**
Lanyard Dri. *Gos* —1H **47**
Lapthorn Clo. *Gos* —1B **38**
Lapwing Clo. *Gos* —6H **39**
Lapwing Clo. *Water* —6B **8**
Lapwing Gro. *Fare* —3F **27**
Lapwing Rd. *S'sea* —2A **52**
Larch Clo. *Lee S* —2E **47**
Larch Ct. *Ports* —1D **50**
Larches Gdns. *Fare* —2E **25**
Larchfield Way. *Water* —2C **10**
Larchwood Av. *Hav* —5B **20**
Larkhill Rd. *Ports* —1B **42**
Larkwhistle Wlk. *Hav* —2C **20**
Lasham Grn. *Hav* —4H **21**
 (off Newnham Ct.)
Lasham Wlk. *Fare* —3F **25**
Latchmore Forest Gro. *Water*
 —4A **10**
Latchmore Gdns. *Water* —4G **9**
Latimer Ct. *Ports* —1D **42**
Lauder Clo. *Ems* —1H **35**
Launceston Clo. *Gos* —6A **40**
Laurel Clo. *Gos* —6A **40**
Laurel Rd. *Water* —3C **10**
Laurence Grn. *Ems* —5D **22**
Laurus Clo. *Water* —4A **20**
Laurus Wlk. *Lee S* —1D **46**
Lavant Clo. *Water* —6B **10**
Lavant Dri. *Hav* —6G **21**
Lavender Rd. *Water* —3A **20**
Laverock Lea. *Fare* —2A **28**
Lavey's La. *Fare* —3C **12**
Lavinia Rd. *Gos* —2D **48**
Lawn Clo. *Gos* —5D **38**
Lawnswood Clo. *Water* —5H **9**
Lawrence Av. *Water* —5G **9**
Lawrence Mans. *S'sea* —4E **51**
Lawrence Rd. *Fare* —1H **25**
Lawrence Rd. *S'sea* —4E **51**
Lawrence Sq. *Gos* —3F **49**
 (off Walpole Rd.)
Lawrence Wlk. *Gos* —1H **47**
Lawson Rd. *S'sea* —3E **51**
Layton Rd. *Gos* —2C **38**
Lazy Acre. *Ems* —3H **35**
Leafy La. *White* —3A **12**
Lealand Gro. *Ports* —3F **31**
Lealand Rd. *Ports* —4F **31**
Leamington Cres. *Lee S*
 —6H **37**
Leamington Ho. *S'sea*
 —3C **50** (4F **5**)
Leander Dri. *Gos* —6A **40**
Lea-Oak Gdns. *Fare* —6F **13**
Lear Rd. *Gos* —2D **48**
Leaway, The. *Fare* —3B **28**
Lechlade Gdns. *Fare* —6B **14**
Leckford Clo. *Fare* —1A **28**
Leckford Rd. *Hav* —3G **21**
Ledbury Rd. *Ports* —2G **29**
Lederle La. *Gos* —6C **26**
Leep La. *Gos* —5D **48**
Lee Rd. *Gos* —1C **48**
Leesland Rd. *Gos* —2C **48**
Lees La. *Gos* —2D **48**
Lees La. N. *Gos* —2D **48**

Legion Rd. *Hay I* —3C **54**
Leicester Ct. *Gos* —2H **47**
Leigh Pk. Shop. Cen. *Hav*
 (off Greywell Sq.) —4F **21**
Leigh Rd. *Fare* —1A **26**
Leigh Rd. *Hav* —1F **33**
Leisure, The. *Gos* —1D **38**
Leith Av. *Fare* —2B **28**
Lendorber Av. *Ports* —3C **30**
Lennox Clo. *Gos* —6E **49**
Lennox Ct. *S'sea* —5D **50**
 (off Lennox Rd. N.)
Lennox Rd. N. *S'sea* —5D **50**
Lennox Rd. S. *S'sea* —5D **50**
Lennox Row. *Ports*
 —1A **50** (1C **4**)
Lensyd Gdns. *Water* —1H **9**
Leofric Ct. *S'sea* —4A **52**
Leominster Rd. *Ports* —2F **29**
Leonard Rd. *Gos* —2E **49**
Leopold St. *S'sea* —5E **51**
Lerryn Rd. *Gos* —3D **38**
Lester Av. *Hav* —1C **32**
Lester Rd. *Gos* —2B **48**
Leventhorpe Ct. *Gos* —3E **49**
Leveson Clo. *Gos* —4B **48**
Leviathan Clo. *Fare* —3F **37**
Lewis Rd. *Ems* —6E **23**
Lexden Gdns. *Hay I* —3A **54**
Leyland Clo. *Gos* —4D **48**
Liam Clo. *Hav* —5G **21**
Liberty, The. *Water* —4A **8**
Lichfield Ct. *Gos* —2H **47**
 (off Gazelle Clo.)
Lichfield Dri. *Gos* —6A **40**
Lichfield Rd. *Ports* —1G **51**
Liddiards Way. *Pur* —6G **19**
Lidiard Gdns. *S'sea* —5H **51**
Lightfoot Lawn. *S'sea* —4A **52**
Lilac Clo. *Hav* —6A **22**
Lily Av. *Water* —1D **30**
Limberline Rd. *Ports* —1C **42**
Limberline Spur. *Ports* —6C **30**
Lime Gro. *Hay I* —3G **53**
Lime Gro. *Ports* —2F **29**
Limes, The. *Gos* —4D **38**
Limes, The. *Hav* —3F **33**
Lincoln Ct. *Gos* —2H **47**
Lincoln Ri. *Water* —3A **10**
Lincoln Rd. *Ports* —2E **51**
Linda Gro. *Water* —4H **9**
Lindbergh Gdns. *Gos* —2H **47**
Lindbergh Ri. *White* —3A **12**
Lind Clo. *Water* —6H **19**
Linden Gro. *Gos* —4D **48**
Linden Gro. *Hay I* —4C **54**
Linden Lea. *Fare* —2H **27**
Lindens Clo. *Ems* —1D **34**
Linden Way. *Hav* —6F **21**
Linden Way. *Water* —2C **10**
Lindisfarne Clo. *Ports* —3C **30**
Lindley Av. *S'sea* —5G **51**
Lindon Ct. *S'sea* —3F **51**
Lind Rd. *Gos* —6E **49**
Lindsey Ho. *S'sea* —5D **50**
 (off Richmond Rd.)
Linford Ct. *Hav* —2D **20**
Lingfield Ct. *Ports*
 —4B **50** (6D **4**)
Linkenholt Way. *Hav* —4C **20**
Linklater Path. *Ports* —6H **41**
Linklater Rd. *Ports* —6H **41**
Link Rd. *S'wick* —1F **29**
Links Clo. *Row C* —6H **11**
Links La. *Hay I* —4G **53**
Links La. *Row C* —5H **11**
Links, The. *Gos* —4C **38**
Link, The. *Water* —6A **10**
Link Way. *Fare* —4E **37**

Linnet Clo. *Water* —3G **9**
Linnet Ct. *Gos* —1B **48**
Linnets, The. *Fare* —3F **27**
Lion Ga. Building. *Ports*
    —2B **50** (2D **4**)
Lion St. *Ports* —2B **50** (2D **4**)
  (in two parts)
Lion Ter. *Ports* —2B **50** (3D **4**)
  (in two parts)
Liphook Ho. *Hav* —4H **21**
Lisle Way. *Gos* —6C **22**
Liss Rd. *S'sea* —3F **51**
Lister Rd. *Ports* —3B **30**
Lith Av. *Horn* —5C **6**
Lith Cres. *Horn* —4C **6**
Lith La. *Horn* —5A **6**
  (Catherington La.)
Lith La. *Horn* —4B **6**
  (Lith Cres.)
Lit. Anglesey. *Gos* —5D **48**
Lit. Anglesey Rd. *Gos* —5C **48**
Little Clo. *Gos* —1C **38**
Lit. Coburg St. *Ports* —2D **50**
Lit. Corner. *Water* —4B **8**
Lit. Gays. *Fare* —3C **36**
Lit. George St. *Ports* —6A **42**
Little Grn. *Gos* —5C **48**
Littlegreen Av. *Hav* —5G **21**
Lit. Grn. Orchard. *Gos* —4C **48**
Lit. Hambrook St. *S'sea*
    —4B **50** (6E **5**)
Little La. *Gos* —5C **48**
Lit. Mead. *Water* —4C **8**
Littlepark Av. *Hav* —6B **20**
Littlepark Ho. *Hav* —6A **20**
Lit. Southsea St. *S'sea*
    —4B **50** (6E **5**)
Littleton Gro. *Hav* —5F **21**
Lit. Woodham La. *Gos* —2G **47**
Liverpool Ct. *Gos* —2H **47**
Liverpool Rd. *Fare* —5H **25**
Liverpool Rd. *Ports* —2E **51**
Livesay Gdns. *Ports* —1F **51**
Livingstone Ct. *Gos* —1H **47**
Livingstone Rd. *S'sea* —4D **50**
Lobelia Ct. *Water* —3A **20**
Locarno Rd. *Ports* —3C **42**
Lock App. *Port S* —4E **29**
Lockerley Rd. *Hav* —6G **21**
Locksheath Clo. *Hav* —3D **20**
Locksway Rd. *S'sea* —3H **51**
Lock Vw. *Port S* —4E **29**
Lodge Av. *Ports* —3C **30**
Lodgebury Clo. *Ems* —3H **35**
Lodge Gdns. *Gos* —4C **48**
Lodge Rd. *Hav* —2B **32**
Lodge, The. *Water* —3A **20**
Lodsworth Clo. *Water* —1D **6**
Lodsworth Ho. *Ports* —1D **50**
Lombard Ct. *Ports* —6C **4**
Lombard St. *Ports*
    —4A **50** (6B **4**)
Lombardy Clo. *Gos* —3D **38**
Lombardy Ri. *Water* —4H **19**
Lomond Ct. *Ports* —5H **41**
Londesborough Rd. *S'sea*
    —4E **51**
London Av. *Ports* —3H **41**
London Mall. *Ports* —3A **42**
London Rd. *Cosh & Water*
    —3B **30**
London Rd. *Ports* —6A **30**
London Rd. *Water* —4D **6**
  (in two parts)
Lone Valley. *Water* —6E **19**
Long Acre Ct. *Ports* —6A **42**
Longbridge Ho. *S'sea* —4E **5**
Long Copse La. *Ems* —5D **22**

Long Curtain Rd. *S'sea* —5A **50**
Longdean Clo. *Ports* —2E **29**
Long Dri. *Gos* —4C **38**
Longfield Av. *Fare* —4F **25**
Longfield Clo. *S'sea* —2A **52**
Longfield Rd. *Ems* —6C **22**
  (in two parts)
Longlands Rd. *Ems* —3H **35**
Longmead Gdns. *Hav* —4F **33**
Longmynd Dri. *Fare* —3F **25**
Longshore Way. *S'sea* —3B **52**
Longs La. *Fare* —2F **37**
Longstaff Gdns. *Fare* —6H **13**
Longstock Rd. *Hav* —3H **21**
Longs Wlk. *Ports* —6H **41**
Long Water Dri. *Gos* —6E **49**
Longwood Av. *Water* —4H **9**
Lonsdale Av. *Fare* —5B **28**
Lonsdale Av. *Ports* —4C **30**
Lordington Clo. *Ports* —3D **30**
Lord Montgomery Way. *Ports*
    —3B **50** (4E **5**)
Lords Ct. *Ports* —1D **50**
Lord's St. *Ports* —1D **50**
Loring Ho. *Ports* —1A **42**
Lorne Rd. *S'sea* —4E **51**
Louis Flagg Ho. *S'sea*
    —3C **50** (5G **5**)
Lovage Way. *Water* —4C **6**
Lovatt Gro. *Fare* —6F **13**
Lovedean La. *Water* —4A **6**
Lovett Rd. *Ports* —2B **42**
Lowcay Rd. *S'sea* —5E **51**
Lwr. Bellfield. *Titch* —4B **24**
Lwr. Bere Wood. *Water*
    —2H **19**
Lwr. Brookfield Rd. *Ports*
    —1E **51**
Lwr. Church Path. *Ports*
    —2C **50** (2G **5**)
Lwr. Derby Rd. *Ports* —4G **41**
Lwr. Drayton La. *Ports* —4E **31**
  (in two parts)
Lwr. Farlington Rd. *Ports*
    —3G **31**
Lwr. Forbury Rd. *S'sea*
    —3D **50** (4H **5**)
Lwr. Grove Rd. *Hav* —2G **33**
Lwr. Quay. *Fare* —3B **26**
Lwr. Quay Clo. *Fare* —3B **26**
Lwr. Quay Rd. *Fare* —3B **26**
Lower Rd. *Hav* —2B **32**
Lwr. Tye Farm Cvn. Pk. *Hay I*
    —4E **45**
Lwr. Wingfield St. *Ports*
    —1D **50**
Lowestoft Rd. *Ports* —2H **29**
Lowland Rd. *Water* —3A **8**
Loxwood Rd. *Water* —1H **9**
Luard Ct. *Hav* —2H **33**
Lucerne Av. *Water* —5E **9**
Lucknow St. *Ports* —2E **51**
Ludcombe. *Water* —2B **8**
Ludlow Rd. *Ports* —2F **29**
Lugano Clo. *Water* —5F **9**
Lulworth Clo. *Hay I* —2C **54**
Lulworth Rd. *Lee S* —2C **46**
Lumley Gdns. *Ems* —2E **35**
Lumley Path. *Ems* —2E **35**
Lumley Rd. *Ems* —2E **35**
Lumsden Rd. *S'sea* —4B **52**
Lundy Wlk. *Fare* —2D **36**
Lutman St. *Ems* —5C **22**
Lychgate Dri. *Water* —5B **6**
Lychgate Grn. *Fare* —6E **25**
Lydney Clo. *Ports* —3G **29**
Lymbourn Rd. *Hav* —2G **33**
Lynden Clo. *Fare* —3D **24**
Lyndhurst Clo. *Hay I* —5C **54**

Lyndhurst Ho. *Hav* —3E **21**
Lyndhurst Rd. *Gos* —3C **48**
Lyndhurst Rd. *Ports* —3B **42**
Lyne Pl. *Water* —1B **10**
Lynn Rd. *Ports* —5B **42**
Lynton Gdns. *Fare* —6H **13**
Lynton Ga. *S'sea* —5C **50**
Lynton Gro. *Ports* —5C **42**
Lynwood Av. *Water* —4F **9**
Lysander Way. *Water* —1A **20**
Lysses Ct. *Fare* —2C **26**
Lysses Path. *Fare* —2C **26**

M

Mabey Clo. *Gos* —5E **49**
Mablethorpe Rd. *Ports* —2A **30**
Macaulay Av. *Ports* —2D **28**
Madden Clo. *Gos* —4B **48**
Madeira Rd. *Ports* —2A **42**
Madeira Wlk. *Hay I* —4B **54**
Madison Clo. *Gos* —5D **38**
Madison Ct. *Fare* —2C **26**
Mafeking Rd. *S'sea* —4F **51**
Magdala Rd. *Cosh* —4B **30**
Magdala Rd. *Hay I* —4A **54**
Magdalen Ct. *Ports* —2A **42**
Magdalen Rd. *Ports* —2H **41**
Magennis Clo. *Gos* —6D **38**
Magenta Clo. *Gos* —1G **47**
Magnolia Clo. *Fare* —3G **25**
Magnolia Way. *Water* —3C **10**
Magpie Clo. *Gos* —4B **48**
Magpie La. *Lee S* —6H **37**
Magpie Rd. *Hav* —2H **11**
Magpie Wlk. *Water* —3G **11**
  (Broad Wlk.)
Magpie Wlk. *Water* —3F **9**
  (Eagle Av.)
Maidford Gro. *Ports* —1E **43**
Maidstone Cres. *Ports* —2A **30**
Main Dri. *S'wick* —3E **17**
Main Rd. *Ems* —3E **35**
Main Rd. *Gos* —1D **38**
Main Rd. *Navy* —1H **49** (1A **4**)
Mainsail Dri. *Fare* —3B **26**
Maisemore Gdns. *Ems* —4B **34**
Maitland St. *Ports* —6H **41**
Maizemore Wlk. *Lee S* —1D **46**
Malcolm Ho. *Ports* —1B **42**
Maldon Rd. *Ports* —3H **29**
Malin Clo. *Fare* —2D **36**
Malins Rd. *Ports* —6H **41**
Mallard Gdns. *Gos* —3B **38**
Mallard Rd. *Row C* —6H **11**
Mallard Rd. *S'sea* —2H **51**
Mallards, The. *Fare* —6A **14**
Mallards, The. *Hav* —4E **33**
Mallory Cres. *Fare* —6A **14**
Mallow Clo. *Ports* —3B **30**
Mallow Clo. *Water* —3H **19**
Mall, The. *Ports* —4H **41**
Malmesbury Lawn. *Hav*
    —3C **20**
Malta Rd. *Ports* —5A **42**
Malthouse La. *Fare* —2B **26**
Malthouse Rd. *Ports* —5H **41**
Maltings, The. *Fare* —1D **26**
Malus Clo. *Fare* —4H **25**
Malvern Av. *Fare* —4G **25**
Malvern M. *Ems* —2D **34**
Malvern Rd. *Gos* —2B **48**
Malvern Rd. *S'sea* —6D **50**
Malwood Clo. *Hav* —3G **21**
Manchester Ct. *Gos* —2H **47**
Manchester Rd. *Ports* —2E **51**
Mancroft Av. *Fare* —3E **37**
Mandarin Way. *Gos* —1G **47**
Manners La. *S'sea* —3E **51**
Manners Rd. *S'sea* —3E **51**

Manor Clo. *Hav* —2F **33**
Manor Cres. *Ports* —4D **30**
Manor Gdns. *Ems* —2H **35**
Mnr. Lodge Rd. *Row C* —5G **11**
Manor M. *Ports* —3E **31**
Mnr. Park Av. *Ports* —5C **42**
Manor Rd. *Ems* —2H **35**
Manor Rd. *Hay I* —3A **54**
Manor Rd. *Ports* —6A **42**
Manor Vs. *Wick* —2A **14**
Manor Way. *Ems* —2H **35**
Manor Way. *Hay I* —5C **54**
Manor Way. *Lee S* —1C **46**
Mansfield Rd. *Gos* —5C **38**
Mansion Ct. *S'sea* —6E **51**
Mansion Rd. *S'sea* —6E **51**
Mansvid Av. *Ports* —4D **30**
Mantle Clo. *Gos* —6D **38**
Mantle Sq. *Ports* —3F **41**
Maple Clo. *Ems* —1D **34**
Maple Clo. *Fare* —2E **25**
Maple Clo. *Lee S* —2E **47**
Maple Cres. *Water* —1G **7**
Maple Dri. *Water* —3C **8**
Maple Rd. *S'sea* —5D **50**
Mapletree Av. *Water* —2C **10**
Maple Wood. *Hav* —2B **32**
Maralyn Av. *Water* —3G **19**
Marchesi Ct. *Fare* —1E **37**
Marchwood Ct. *S'sea* —4H **47**
  (off Broadsands Dri.)
Marchwood Rd. *Hav* —3E **21**
Margaret Clo. *Water* —6F **9**
Margarita Rd. *Fare* —1G **25**
Margate Rd. *S'sea*
    —3D **50** (5G **5**)
Margery's Ct. *Ports*
    —2A **50** (3C **4**)
Marigold Clo. *Fare* —1G **25**
Marina Bldgs. *Gos* —3D **48**
  (off Stoke Rd.)
Marina Clo. *Ems* —4E **35**
Marina Gro. *Fare* —4A **28**
Marina Gro. *Ports* —6D **42**
Marina Keep. *Port S* —5E **29**
Marine Cotts. *Gos* —2D **48**
Marine Pde. E. *Lee S* —2C **46**
Marine Pde. W. *Lee S* —6F **37**
Mariners Wlk. *S'sea* —2H **51**
Mariners Way. *Gos* —4F **49**
Marine Wlk. *Hay I* —4E **55**
Marion Rd. *S'sea* —6E **51**
Marjoram Cres. *Water* —4B **10**
Marjoram Way. *White* —2A **12**
Mark Anthony Ct. *Hay I*
    —4A **54**
Mark Clo. *Ports* —1B **42**
Mark Ct. *Water* —1G **19**
Market Pde. *Hav* —2F **33**
Marketway. *Ports*
    —1C **50** (1F **5**)
Mark's Rd. *Fare* —3G **37**
Marks Tey Rd. *Fare* —6E **25**
Markway Clo. *Ems* —2B **34**
Marlands Lawn. *Hav* —3C **20**
Marlborough Clo. *Water*
    —4F **19**
Marlborough Gro. *Fare* —4A **28**
Marlborough Pk. *Hav* —6H **21**
Marlborough Rd. *Gos* —1B **48**
Marlborough Row. *Ports*
    —1A **50** (1B **4**)
Marldell Clo. *Hav* —4D **20**
Marles Clo. *Gos* —5D **38**
Marlin Clo. *Gos* —1H **47**
Marlow Clo. *Fare* —5G **13**
Marlowe Ct. *Water* —6F **9**
Marmion Av. *S'sea* —5D **50**

Marmion Rd. *S'sea* —5C **50**
Marne Ho. *Fare* —3G **25**
Marples Way. *Hav* —2D **32**
Marrels Wood Gdns. *Pur*
—5E **19**
Marsden Rd. *Ports* —3F **29**
Marshall Rd. *Hay I* —5E **55**
Marsh Clo. *Ports* —5E **31**
Marshfield Ho. *Ports* —4F **31**
Marshlands Rd. *Ports* —4F **31**
Marshlands Spur. *Ports*
—4G **31**
Marsh La. *Fare* —3C **36**
Marshwood Av. *Water* —2A **20**
Marston La. *Ports* —1D **42**
Martello Clo. *Gos* —4H **47**
Martells Ct. *Ports*
—3A **50** (5C **4**)
Martin Av. *Fare* —3F **37**
Martin Av. *Water* —3C **8**
Martin Clo. *Lee S* —6H **37**
Martin Rd. *Fare* —3F **37**
Martin Rd. *Hav* —5G **21**
Martin Rd. *Ports* —5C **42**
Marvic Ct. *Hav* —3E **21**
Mary Rose Clo. *Fare* —6G **13**
Mary Rose St., The. *Ports*
—2C **50** (3F **5**)
Masefield Av. *Ports* —2D **28**
Masefield Cres. *Water* —4H **9**
Masten Cres. *Gos* —5C **38**
Matapan Rd. *Ports* —1H **41**
Matthews Clo. *Hav* —6C **20**
Maurice Rd. *S'sea* —3A **52**
Mavis Cres. *Hav* —1F **33**
Maxstoke Clo. *S'sea*
—2D **50** (3H **5**)
Maxwell Rd. *S'sea* —4G **51**
Maydman Sq. *Ports* —1G **51**
Mayfield Clo. *Fare* —2F **37**
Mayfield Rd. *Gos* —4E **49**
Mayfield Rd. *Ports* —3A **42**
Mayflower Clo. *Fare* —4E **37**
Mayflower Dri. *S'sea* —2A **52**
Mayhall Rd. *Ports* —4C **42**
Maylands Av. *S'sea* —2G **51**
Maylands Rd. *Hav* —1B **32**
Mayles Clo. *Wick* —2A **14**
Mayles Rd. *S'sea* —2H **51**
Maylings Farm Rd. *Fare*
—6H **13**
Maynard Clo. *Gos* —1C **38**
Maynard Pl. *Water* —6B **6**
Mayo Clo. *Ports* —6H **41**
May's La. *Fare* —2E **37**
Maytree Gdns. *Water* —4G **9**
Maytree Rd. *Cowp* —4G **9**
Maytree Rd. *Fare* —2A **26**
Meadend Clo. *Hav* —4H **21**
Mead End Rd. *Water* —4C **8**
Meadowbank Rd. *Fare* —2F **25**
Meadow Clo. *Hay I* —2B **44**
Meadow Ct. *Ems* —3D **34**
Meadowlands. *Hav* —2G **33**
Meadowlands. *Row C* —4H **11**
Meadow Ri. *Water* —4B **10**
Meadows, The. *Fare* —6C **14**
Meadows, The. *Water* —1E **19**
Meadow St. *S'sea*
—4B **50** (6E **5**)
Meadowsweet. *Water* —6B **10**
Meadowsweet Way. *Ports*
—2H **29**
Meadow, The. *Water* —3B **8**
Meadow Wlk. *Gos* —6B **26**
Meadow Wlk. *Ports*
—1C **50** (1F **5**)
Mead, The. *Gos* —2B **38**

Mead Way. *Fare* —6B **14**
Meadway. *Water* —6A **10**
Meath Clo. *Hay I* —6E **55**
Medina Ct. *Lee S* —6F **37**
Medina Ho. *Fare* —4A **26**
Medina Rd. *Ports* —3H **29**
Medstead Rd. *Hav* —6F **21**
Megan Ct. *Ports* —4B **30**
Melbourne Ho. *Ports*
—1C **50** (2G **5**)
Melbourne Pl. *S'sea*
—3B **50** (4E **5**)
Mellor Clo. *Ports* —3H **29**
Melrose Clo. *S'sea* —3H **51**
Melrose Gdns. *Gos* —6F **39**
Melville Rd. *Gos* —6G **39**
Melville Rd. *S'sea* —5B **52**
Melvin Jones Ho. *Fare* —1E **37**
Memorial Sq. *Ports*
—2C **50** (3F **5**)
Mendips Rd. *Fare* —3G **25**
Mendips Wlk. *Fare* —3F **25**
Mengham Av. *Hay I* —5C **54**
Mengham Ct. *Hay I* —4D **54**
Mengham La. *Hay I* —4C **54**
Mengham Rd. *Hay I* —4C **54**
Menin Ho. *Fare* —1E **25**
Meon Clo. *Gos* —3B **38**
Meon Clo. *Water* —1D **6**
Meon Ho. *Fare* —4A **26**
Meon Rd. *S'sea* —3G **51**
Meonside Ct. *Wick* —2A **14**
Merchants Row. Ports
—4A **50** (6B **4**)
(off White Hart Rd.)
Merchistoun Rd. *Water* —6B **6**
Mercury Pl. *Water* —1G **31**
Mere Cft. *Fare* —6A **12**
Meredith Rd. *Ports* —2A **42**
Merganser Clo. *Gos* —6H **39**
Meriden Rd. *S'sea*
—3B **50** (4E **5**)
Meridian Cen. *Hav* —2F **33**
Merlin Dri. *Ports* —1C **42**
Merlin Gdns. *Fare* —2H **27**
Mermaid Rd. *Fare* —6H **25**
Merrivale Ct. *Ems* —2H **35**
Merrivale Rd. *Ports* —2A **42**
Merrow Clo. *Fare* —3G **27**
Merryfield Av. *Hav* —4D **20**
Merstone Rd. *Gos* —3C **38**
Merthyr Av. *Ports* —2D **30**
Merton Av. *Fare* —5B **28**
Merton Ct. *S'sea* —4D **50**
Merton Cres. *Fare* —5A **28**
Merton Rd. *S'sea* —4C **50**
Meryl Rd. *S'sea* —3A **52**
Methuen Rd. *S'sea* —4G **51**
Mewsey Ct. *Hav* —2D **20**
Mews, The. *Gos* —3G **49**
Mews, The. *Hav* —5E **21**
*Mews, The. —1E **51***
(off Clive Rd.)
*Mews, The. S'sea —5D **50***
(off Collingwood Rd.)
Mey Clo. *Water* —2A **20**
Meyrick Rd. *Hav* —2D **32**
Meyrick Rd. *Ports* —4G **41**
Micawber Ho. *Ports* —6H **41**
Michael Crook Clo. *Hav*
—6C **20**
Midas Clo. *Water* —5H **19**
*Middle Ct. Ports —6A **42***
(off Inverness Rd.)
Middlecroft La. *Gos* —1B **48**
Middle Mead. *Fare* —3D **24**
Middle Pk. Way. *Hav* —5D **20**
Middlesex Rd. *S'sea* —4H **51**

Middle St. *S'sea* —3C **50** (4F **5**)
Middleton Clo. *Fare* —4G **25**
Middleton Ri. *Water* —1D **6**
Middleton Wlk. *Fare* —4G **25**
Midfield Clo. *Fare* —4H **25**
Midhurst Ho. *Ports* —1D **50**
Midway Rd. *Ports* —6A **30**
Midways. *Fare* —4E **37**
Milbeck Clo. *Water* —4A **10**
Milebush Rd. *S'sea* —2A **52**
Mile End Rd. *Ports* —6G **41**
Milford Clo. *Hav* —6D **20**
Milford Ct. *Gos* —4H **47**
Milford Ct. *S'sea* —3H **51**
Milford Rd. *Ports*
—2D **50** (2H **5**)
Military Rd. *Fare* —1D **26**
Military Rd. *Gos* —6C **48**
(Fort Rd., in three parts)
Military Rd. *Gos* —3A **48**
(Gomer La.)
Military Rd. *Gos* —3G **39**
(Gunners Way)
Military Rd. *Gos* —4G **47**
(PO13)
Military Rd. *Hils* —6B **30**
Military Rd. *Navy* —1B **50**
Military Rd. *Ports* —2E **31**
Milk La. *Water* —3E **19**
Millam Ct. *Hay I* —3A **54**
Millbrook Dri. *Hav* —3G **21**
Mill Clo. *Hay I* —3B **44**
Mill Clo. *Water* —3D **8**
Milldam. *Ports* —2B **50** (3D **4**)
Mill End. *Ems* —3E **35**
Millennium Clo. *Water* —4G **19**
Millennium Ct. *Water* —4G **19**
Miller Dri. *Fare* —6H **13**
(in two parts)
Mill Ga. Ho. Ports
—2A **50** (3C **4**)
(off St George's Sq.)
Mill La. *Ems* —2E **35**
Mill La. *Gos* —1D **48**
Mill La. *Hav* —2C **32**
Mill La. *Lang* —4E **33**
Mill La. *Ports* —6G **41**
Mill La. *Titch* —2C **24**
Mill La. *Water* —1A **30**
Mill Pond Rd. *Gos* —1D **48**
Mill Quay. *Ems* —4E **35**
Mill Rd. *Ems* —5F **23**
Mill Rd. *Fare* —3A **26**
Mill Rd. *Gos* —1C **48**
Mill Rd. *Water* —3F **19**
(London Rd.)
Mill Rd. *Water* —3C **8**
(Mead End Rd.)
Mill Rythe Holiday Village.
Hay I —1E **55**
Mill Rythe La. *Hay I* —6C **44**
Mills Rd. *Ports* —4H **41**
Mill St. *Titch* —3C **24**
Milton Ct. *S'sea* —2G **51**
Milton La. *S'sea* —2F **51**
Milton Locks. *S'sea* —3B **52**
Milton Pde. *Cowp* —5G **9**
Milton Pk. Av. *S'sea* —3H **51**
Milton Rd. *Ports & S'sea*
—1G **51**
Milton Rd. *Water & Cowp*
—6F **9**
Milverton Ho. *S'sea*
—3C **50** (5G **5**)
Milvil Ct. *Lee S* —1C **46**
Milvil Rd. *Lee S* —1C **46**
Mimosa Clo. *Fare* —6A **12**
Minden Ho. *Fare* —3H **25**
Minerva Clo. *Water* —1G **31**

Minerva Dri. *Gos* —6A **40**
Minley Ct. *Hav* —4H **21**
Minnitt Rd. *Gos* —3G **49**
Minstead Rd. *S'sea* —4H **51**
Minster Clo. *Fare* —1E **25**
Minter's Lepe. *Water* —6G **19**
Mission La. *Water* —4A **10**
Mitchell Rd. *Hav* —6B **20**
Mitchell Way. *Ports* —2D **42**
Mizen Way. *Gos* —1H **47**
Mizzen Ho. *Port S* —4E **29**
Moat Ct. *Gos* —4H **47**
Moat Dri. *Gos* —4H **47**
Moat Wlk. *Gos* —4H **47**
Mole Hill. *Water* —4H **19**
Molesworth Rd. *Gos* —3E **49**
(in two parts)
Monarch Clo. *Water* —2A **20**
Monckton Rd. *Gos* —6D **48**
Monckton Rd. *Ports* —3C **42**
Moneyfield Av. *Ports* —5C **42**
Moneyfield La. *Ports* —5C **42**
Moneyfield Path. *Ports* —4D **42**
Monks Hill. *Ems* —3E **23**
Monks Hill. *Fare* —5E **37**
Monks Way. *Fare* —4D **36**
Monkwood Clo. *Hav* —4D **20**
Monmouth Rd. *Ports* —3H **41**
Monroe Clo. *Gos* —4A **48**
Monson Ho. *Ports* —1E **51**
Montague Rd. *Ports* —4A **42**
Montague Wallis Ct. *Ports*
—2A **50** (3C **4**)
Montana Ct. *Water* —3H **19**
Monterey Dri. *Hav* —5G **21**
Montgomerie Rd. *S'sea*
—3D **50** (4H **5**)
Montgomery Rd. *Gos* —1C **38**
Montgomery Rd. *Hav* —2G **33**
Montgomery Wlk. *Water*
—4F **19**
Montrose Av. *Fare* —2C **28**
Montserrat Rd. *Lee S* —1C **46**
Monument La. *Fare* —4H **15**
Monxton Grn. *Hav* —3H **21**
Moody Rd. *Fare* —4D **36**
Moore Gdns. *Gos* —3B **48**
Moorgreen Rd. *Hav* —4G **21**
Moorings, The. *Fare* —4B **26**
Moorings Way. *S'sea* —2H **51**
Moorland Rd. *Ports* —1E **51**
Moor Pk. *Water* —5B **10**
Moortown Av. *Ports* —2E **31**
Moraunt Clo. *Gos* —5A **40**
Moraunt Dri. *Fare* —4H **27**
Morcumb Pk. Homes. *Ems*
—3F **35**
Morecombe Ct. *S'sea*
—3D **50** (4H **5**)
Moreland Rd. *Gos* —2D **48**
Morelands Ct. *Water* —5H **19**
Morelands Rd. *Water* —5G **19**
Moresby Ct. *Fare* —2B **26**
Morgan Rd. *S'sea* —3A **52**
Morgan's Dri. *Fare* —6E **25**
Morley Cres. *Water* —4A **10**
Morley Rd. *S'sea* —5G **51**
Morningside Av. *Fare* —2C **28**
Morris Clo. *Gos* —6B **26**
Morshead Cres. *Fare* —6H **13**
Mortimer Lawn. *Hav* —2D **20**
Mortimer Rd. *Ports* —2G **29**
Mortimore Rd. *Gos* —1B **48**
Mosdell Rd. *Ems* —3H **35**
Moulin Av. *S'sea* —5E **51**
Mound Clo. *Gos* —4C **48**
Mountbatten Clo. *Gos* —1C **38**
Mountbatten Dri. *Water*
—3E **19**

Mountbatten Ho. *Navy*
　—1A **50** (1B **4**)
Mountbatten Sq. *S'sea* —5H **51**
Mount Dri. *Fare* —3D **24**
Mountjoy Ct. *Ports*
　—4A **50** (6B **4**)
Mt. Pleasant Rd. *Gos* —5D **48**
Mount, The. *Gos* —4D **38**
Mountview Av. *Fare* —2C **28**
Mountwood Rd. *S'brne*
　—2H **35**
Mousehole Rd. *Ports* —2D **28**
Muccleshell Clo. *Hav* —5G **21**
Mulberry Av. *Fare* —4E **37**
Mulberry Av. *Ports* —3C **30**
Mulberry Clo. *Gos* —3D **48**
Mulberry La. *Ports* —4C **30**
Mulberry Path. *Ports* —4C **30**
Mullion Clo. *Port S* —4F **29**
Mumby Rd. *Gos* —2E **49**
Mundays Row. *Water* —4C **6**
Munster Rd. *Ports* —3H **41**
Murefield Rd. *Ports* —2D **50**
Muriel Rd. *Water* —1G **19**
Murray Clo. *Fare* —1G **25**
Murray Rd. *Water* —1B **10**
Murray's La. *Ports* —1H **49**
Murrell Grn. *Hav* —4H **21**
Murrills Est. *Fare* —3C **28**
Muscliffe Ct. *Hav* —4H **21**
Museum Rd. *Ports*
　—3B **50** (5D **4**)
My Lord's La. *Hay I* —4D **54**
Myrtle Av. *Fare* —4B **28**
Myrtle Clo. *Gos* —2C **38**
Myrtle Gro. *Ports* —6D **42**

Nailsworth Rd. *Ports* —2F **29**
Naish Ct. *Hav* —2C **20**
Naish Dri. *Gos* —4G **39**
Nancy Rd. *Ports* —2E **51**
Napier Clo. *Gos* —2H **47**
Napier Cres. *Fare* —2E **25**
Napier Rd. *S'sea* —5D **50**
Napier Rd. *Water* —1C **10**
Narvik Rd. *Ports* —1H **41**
Naseby Clo. *Ports* —2E **29**
Nashe Clo. *Fare* —6F **13**
Nashe Ho. *Fare* —6E **13**
Nashe Way. *Fare* —6E **13**
Nasmith Clo. *Gos* —3A **48**
Nat Gonella Sq. Gos —3F **49**
　(off Walpole Rd.)
Navy Rd. *Ports* —1A **50**
Needles Ho. *Fare* —4A **26**
Neelands Gro. *Ports* —3C **28**
Nelson Av. *Fare* —4H **27**
Nelson Av. *Ports* —3H **41**
Nelson Ct. *Fare* —5H **25**
Nelson Cres. *Water* —6C **6**
Nelson Ho. Gos —3G **49**
　(off South St.)
Nelson La. *Fare* —6A **16**
Nelson Rd. *Gos* —3D **48**
Nelson Rd. *Ports* —6H **41**
Nelson Rd. *S'sea* —4C **50**
Nepean Clo. *Gos* —6D **48**
Neptune Ct. *Gos* —3D **38**
Neptune Rd. *Fare* —6H **25**
　(PO14)
Neptune Rd. *Fare* —1E **25**
　(PO15)
Nerissa Clo. *Water* —1A **20**
Nesbitt Clo. *Gos* —2B **38**
Nessus St. *Ports* —5H **41**
Nest Bus. Pk. *Hav* —5H **21**
Netherfield Clo. *Hav* —2G **33**
Netherton Rd. *Gos* —6F **39**

Netley Pl. *S'sea* —5C **50**
　(off Netley Ter.)
Netley Rd. *S'sea* —5C **50**
Netley Ter. *S'sea* —5C **50**
Nettlecombe Av. *S'sea* —6E **51**
Nettlestone Rd. *S'sea* —5G **51**
Neville Av. *Fare* —5B **28**
Neville Ct. *Gos* —2D **48**
Neville Gdns. *Ems* —6C **22**
Neville Rd. *Ports* —6C **42**
Nevil Shute Rd. *Ports* —2C **42**
Newbarn Rd. *Hav* —6B **20**
Newbolt Clo. *Water* —4G **9**
Newbolt Rd. *Ports* —2C **28**
New Brighton Rd. *Ems* —2D **34**
Newbroke Rd. *Gos* —5D **38**
Newcomen Ct. *Ports* —3G **41**
Newcomen Rd. *Ports* —3G **41**
Newcome Rd. *Ports* —1E **51**
New Cut. *Hay I* —2B **44**
New Down La. *Pur* —1C **30**
Newgate La. *Fare* —2A **38**
Newgate La. Ind. Est. *Fare*
　(in two parts)　—5B **26**
Newlands. *Fare* —2E **25**
Newlands. *Water* —5B **8**
Newlands Av. *Gos* —3C **48**
Newlands Rd. *Water* —4F **19**
New La. *Hav* —1G **33**
Newlease Rd. *Water* —4H **19**
Newlyn Way. *Port S* —4E **29**
Newmer Ct. *Hav* —3C **20**
Newney Clo. *Ports* —1B **42**
Newnham Ct. *Hav* —4H **21**
New Pde. *Fare* —3B **28**
Newport Rd. *Gos* —2B **48**
New Rd. *Ems* —3H **35**
New Rd. *Fare* —2A **26**
New Rd. *Hav* —1D **32**
New Rd. *Ports* —6A **42**
New Rd. Water —1C **6**
　(off Drift Rd.)
New Rd. Water —1G **9**
　(off Lovedean La.)
New Rd. *Westb* —6F **23**
New Rd. E. *Ports* —5B **42**
Newton Clo. *Fare* —1E **37**
Newton Pl. *Lee S* —6G **37**
New Town. *Portc* —3B **28**
Newtown La. *Hay I* —3A **54**
Nicholas Ct. *Hay I* —4A **54**
Nicholas Ct. *Lee S* —2C **46**
Nicholas Cres. *Fare* —1H **25**
Nicholl Pl. *Gos* —3C **38**
Nicholson Gdns. *Ports* —2H **5**
Nicholson Way. *Hav* —6E **21**
Nickel St. *S'sea* —4B **50** (6E **5**)
Nickleby Ho. *Ports* —6H **41**
Nickleby Rd. *Water* —1F **7**
Nightingale Clo. *Gos* —1B **48**
Nightingale Clo. *Row C*
　—6G **11**
Nightingale Pk. *Hav* —2H **33**
Nightingale Rd. *Ports* —2B **30**
Nightingale Rd. *S'sea* —5B **50**
Nightjar Clo. *Water* —6A **6**
Nile St. *Ems* —3D **34**
Nimrod Dri. *Gos* —1H **47**
　(in two parts)
Nine Elms La. *Fare* —5D **14**
Ninian Pk. Rd. *Ports* —3C **42**
Ninian Path. *Ports* —3C **42**
Niton Clo. *Gos* —3C **38**
Nobbs La. *Ports*
　—3A **50** (5C **4**)
Nobes Av. *Gos* —2C **38**
Nobes Clo. *Gos* —3D **38**
Nook, The. *Gos* —4D **38**
Nore Cres. *Ems* —2B **34**

Nore Farm Av. *Ems* —2B **34**
Norfolk Cres. *Hay I* —5H **53**
Norfolk Ho. *Hav* —2G **33**
Norfolk M. *Hay I* —4A **54**
Norfolk Rd. *Gos* —6F **39**
Norfolk St. *S'sea*
　—4C **50** (6F **5**)
Norgett Way. *Fare* —5H **27**
Norland Rd. *S'sea* —4E **51**
Norley Clo. *Hav* —4E **21**
Norman Clo. *Fare* —5B **28**
Norman Ct. *S'sea* —5E **51**
Normandy Ct. *Wick* —1B **14**
Normandy Gdns. *Gos* —3B **48**
Normandy Rd. *Ports* —1H **41**
Norman Rd. *Gos* —2C **48**
Norman Rd. *Hay I* —5D **54**
Norman Rd. *S'sea* —4E **51**
Norman Way. *Hav* —1C **32**
Norris Gdns. *Hav* —3G **33**
Norset Rd. *Fare* —1E **25**
Northam M. *Ports*
　—2D **50** (2H **5**)
Northam St. *Ports*
　—1D **50** (1H **5**)
Northarbour Rd. *Ports* —3G **29**
Northarbour Spur. *Ports*
　—3H **29**
North Av. *Ports* —6A **30**
N. Battery Rd. *Ports* —3F **41**
Northbrook Clo. *Ports* —6H **41**
North Clo. *Gos* —3B **48**
North Clo. *Hav* —3G **33**
Northcote Rd. *S'sea* —4E **51**
Northcott Clo. *Gos* —4B **48**
North Ct. *Ports* —6A **42**
North Cres. *Hay I* —4D **54**
Northcroft Rd. *Gos* —1B **48**
N. Cross St. *Gos* —3F **49**
North Dri. *S'wick* —3D **16**
N. End Av. *Ports* —3H **41**
N. End Gro. *Ports* —3H **41**
Northern Pde. *Ports* —2H **41**
Northern Rd. *Ports* —5B **30**
Northesk Ho. *Ports* —1D **50**
Northfield Av. *Fare* —4H **25**
Northfield Cvn. Pk. *Fare*
　—1H **27**
Northfield Clo. *Water* —3C **6**
Northfield Pk. *Fare* —2H **27**
Northgate Av. *Ports* —5B **42**
N. Grove Ho. *S'sea*
　—4D **50** (6H **5**)
N. Harbour Bus. Pk. *Ports*
　—4G **29**
North Hill. *Fare* —6B **14**
North Hill. *S'wick* —1F **29**
North La. *Water* —1F **7**
Northney La. *Hay I* —1E **45**
Northney Rd. *Hay I* —6G **33**
Northover Rd. *Ports* —5D **42**
N. Park Bus. Cen. *Know*
　—1F **13**
North Rd. *S'wick* —1E **29**
North Rd. *Water* —3C **6**
North Rd. E. *S'wick* —3E **17**
North Rd. W. *S'wick* —3E **17**
N. Shore Rd. *Hay I* —3H **53**
North St. *Bed* —1D **32**
North St. *Ems* —2D **34**
North St. *Gos* —3F **49**
　(in two parts)
North St. *Hav* —2F **33**
North St. *Ports* —1D **50**
　(Cornwallis Cres.)
North St. *Ports* —2A **50** (2C **4**)
　(Prince George St.)
North St. *Westb* —4F **23**
North St. Arc. *Hav* —2F **33**

Northumberland Rd. *S'sea*
　—3E **51**
N. Wallington. *Fare* —1C **26**
North Way. *Gos* —1C **38**
North Way. *Hav* —2E **33**
Northway. *Titch* —6A **12**
Northways. *Stub* —3F **37**
Northwood La. *Hay I* —4C **44**
Northwood Rd. *Ports* —1A **42**
Northwood Sq. *Fare* —1B **26**
Norton Clo. *S'wick* —3D **16**
Norton Clo. *Water* —2F **19**
Norton Dri. *Fare* —6A **14**
Norton Rd. *S'wick* —3D **16**
Norway Rd. *Ports* —1B **42**
Norwich Pl. *Lee S* —6G **37**
Norwich Rd. *Ports* —1H **29**
Nottingham Pl. *Lee S* —6G **37**
Novello Gdns. *Water* —3G **19**
Nuffield Cen. *Ports*
　—3B **50** (4D **4**)
Nursery Clo. *Ems* —6D **22**
Nursery Clo. *Gos* —2B **38**
Nursery Gdns. *Water* —2A **10**
Nursery La. *Fare* —3E **37**
Nursery Rd. *Hav* —1C **32**
Nursling Cres. *Hav* —4G **21**
Nutbourne Ho. *Ports* —4F **31**
Nutbourne Rd. *Hay I* —5G **55**
Nutbourne Rd. *Ports* —4F **31**
Nutfield Pl. *Ports* —1D **50**
Nuthatch Clo. *Row C* —6H **11**
Nutley Rd. *Hav* —4D **20**
Nutwick Rd. *Hav* —6H **21**
Nyewood Av. *Fare* —2B **28**
Nyria Way. *Gos* —3F **49**

Oakapple Gdns. *Ports*
　—3G **31**
Oak Clo. *Water* —5G **9**
Oak Ct. *Fare* —1E **25**
Oakcroft La. *Fare* —6E **25**
Oakdene. *Gos* —4D **38**
Oakdown Rd. *Fare* —2F **37**
Oakes, The. *Fare* —1D **36**
Oakfield Ct. *Hav* —4H **21**
Oakhurst Dri. *Water* —1A **20**
Oakhurst Gdns. *Water* —1D **30**
Oaklands Gro. *Water* —4F **9**
Oaklands Rd. *Hav* —2G **33**
Oaklea Clo. *Water* —1D **30**
Oakley Ho. *S'sea*
　—4C **50** (6F **5**)
Oakley Rd. *Hav* —4D **20**
Oak Mdw. Clo. *Ems* —6E **23**
Oakmont Dri. *Water* —5H **9**
Oak Pk. Dri. *Hav* —6G **21**
Oak Rd. *Fare* —1F **25**
Oak Rd. *Water* —2G **7**
Oaks Coppice. *Water* —1A **10**
Oakshott Dri. *Hav* —4G **21**
Oak St. *Gos* —3E **49**
Oak Thorn Clo. *Gos* —1G **47**
Oak Tree Dri. *Ems* —5C **22**
Oakum Ho. *Ports* —1G **51**
Oakwood Av. *Hav* —6B **20**
Oakwood Cen., The. *Hav*
　—5H **21**
Oakwood Rd. *Hay I* —4B **54**
Oakwood Rd. *Ports* —1A **42**
Oberon Clo. *Water* —1A **20**
Occupation La. *Fare* —3A **24**
Ocean Clo. *Fare* —1F **25**
Ocean Ct. *Hay I* —5A **54**
Ocean Pk. *Ports* —4D **42**
Ocean Rd. *Fare* —6H **25**
Ockendon Clo. *S'sea*
　—3C **50** (5F **5**)

Octavius Ct.—Percival Rd.

Octavius Ct. *Water* —6B **10**
Odell Clo. *Fare* —6H **13**
O'Jays Ind. Pk. *Ports* —3C **42**
Olave Clo. *Lee S* —1C **46**
Old Barn Gdns. *Water* —1H **9**
Old Bridge Rd. *S'sea* —5E **51**
Oldbury Ho. *S'sea* —5F **5**
Oldbury Way. *Fare* —3E **25**
Old Canal. *S'sea* —3H **51**
Old Canal, The. *S'sea* —3H **51**
Old Commercial Rd. *Ports*
—6G **41**
Old Copse Rd. *Hav* —1G **33**
Old Farm La. *Ems* —6F **23**
Old Farm La. *Fare* —4E **37**
Old Farm Way. *Ports* —4G **31**
Old Flour Mill, The. *Ems*
—3E **35**
Oldgate Gdns. *Ports* —1B **42**
Old Gosport Rd. *Fare* —3B **26**
Old La. *Water* —3B **6**
Old London Rd. *Ports* —1B **42**
Old Mnr. Farm. *Hav* —2B **32**
Old Mnr. Way. *Ports* —4D **30**
Old Rectory Clo. *Ems* —6E **23**
Old Rectory Rd. *Ports* —3G **31**
Old Reservoir Rd. *Ports*
—4F **31**
Old River. *Water* —4B **8**
Old Rd. *Gos* —4E **49**
Old Rd., The. *Ports* —5B **30**
Old School Dri. *Hay I* —5D **54**
Old Star Pl. *Ports*
—2A **50** (2B **4**)
Old St. *Fare* —4C **36**
(in two parts)
Old Timbers. *Hay I* —4B **54**
Old Turnpike. *Fare* —6B **14**
Old Turnpike Bus. Pk. *Fare*
—1B **26**
Old Van Diemans Rd. *Water*
—4E **19**
Old Wymering La. *Ports*
—3A **30**
Olinda St. *Ports* —1E **51**
Olive Cres. *Fare* —5B **28**
Oliver Rd. *S'sea* —4G **51**
Olivia Clo. *Water* —6A **10**
Omega Cen. *S'sea*
—2D **50** (3H **5**)
Omega Ho. *S'sea*
—2D **50** (3H **5**)
Omega St. *S'sea*
—2D **50** (3H **5**)
Onslow Rd. *S'sea* —6D **50**
Ophir Rd. *Ports* —3H **41**
Oracle Dri. *Water* —6G **19**
Orange Gro. *Gos* —4D **38**
Orange Row. *Ems* —3D **34**
Orchard Clo. *Gos* —4G **39**
Orchard Clo. *Hay I* —5B **54**
Orchard Clo. *Water* —1C **10**
Orchard Gro. *Fare* —4G **27**
Orchard Gro. *Water* —4H **9**
Orchard La. *Ems* —3E **35**
Orchard Rd. *Gos* —1F **49**
Orchard Rd. *Hav* —3F **33**
Orchard Rd. *Hay I* —5C **54**
Orchard Rd. *S'sea* —3E **51**
Orchard, The. *Ports* —4B **30**
Orchard, The. *Water* —3B **8**
Ordnance Ct. Ind. Est. *Ports*
—6C **30**
Ordnance Rd. *Gos* —3F **49**
Ordnance Row. *Ports*
—2A **50** (3B **4**)
Orford Ct. *Ports* —4B **30**
Oriel Rd. *Ports* —3H **41**
Orion Clo. *Fare* —3F **37**

Orkney Rd. *Ports* —2B **30**
Ormsby Rd. *S'sea* —4C **50**
Orpine Clo. *Fare* —6B **12**
Orsmond Clo. *Water* —3H **19**
Osborn Cres. *Gos* —1B **38**
Osborne Clo. *Water* —2A **20**
Osborne Rd. *Gos* —2F **49**
Osborne Rd. *Lee S* —1C **46**
Osborne Rd. *S'sea* —5C **50**
Osborne Vw. Rd. *Fare* —4C **36**
Osborn Mall. *Fare* —2C **26**
Osborn Rd. *Fare* —2B **26**
Osborn Rd. S. *Fare* —2B **26**
Osborn Sq. *Fare* —2C **26**
Osier Clo. *Ports* —3G **41**
Osprey Clo. *Ports* —4H **31**
Osprey Ct. *Fare* —3F **27**
Osprey Dri. *Hay I* —4D **54**
Osprey Gdns. *Lee S* —1D **46**
Osprey Quay. *Ems* —4F **35**
Othello Dri. *Water* —1A **20**
Otterbourne Cres. *Hav* —4D **20**
Otter Clo. *Gos* —2H **47**
Outram Rd. *S'sea* —4D **50**
Oval Gdns. *Gos* —3B **48**
Overton Cres. *Hav* —4D **20**
Overton Rd. *Ems* —2H **35**
Owen Clo. *Gos* —6C **38**
Owen Ho. *Ports* —1F **51**
(off Whitcombe Gdns.)
Owen St. *S'sea* —5G **51**
Owslebury Gro. *Hav* —4F **21**
Oxenwood Grn. *Hav* —3D **20**
Oxford Clo. *Fare* —1H **25**
Oxford Rd. *Gos* —2B **48**
Oxford Rd. *S'sea* —4E **51**
Oxleys Clo. *Fare* —3D **24**
Oxted Ct. *S'sea* —2H **51**
Oyster Ind. Est. *Ports* —4E **31**
Oyster M. *Ports* —4A **50** (6B **4**)
Oyster Quay. *Port S* —4F **29**
Oyster St. *Ports*
—4A **50** (6B **4**)
Oyster Vw. *Lee S* —6F **37**

Padbury Clo. *Ports* —1B **42**
Paddington Rd. *Ports* —4B **42**
Paddock End. *Water* —4B **8**
Paddock, The. *Fare* —1E **37**
Paddock, The. *Gos* —4C **48**
Paddock Wlk. *Ports* —3E **29**
Padnell Av. *Water* —4A **10**
Padnell Pl. *Water* —5B **10**
Padnell Rd. *Water* —4A **10**
Padwick Av. *Ports* —3C **30**
Padwick Ct. *Hay I* —4A **54**
Paffard Clo. *Gos* —6C **38**
Paget Rd. *Gos* —5C **48**
Pagham Clo. *Ems* —3E **35**
Pagham Gdns. *Hay I* —5H **55**
Paignton Av. *Ports* —5C **42**
Pain's Rd. *S'sea*
—3D **50** (5H **5**)
Painswick Clo. *Ports* —3G **29**
Painter Clo. *Ports* —2E **43**
Palk Rd. *Hav* —1D **32**
Pallant Gdns. *Fare* —1D **26**
Pallant, The. *Hav* —2F **33**
Palm Ct. *S'sea* —5C **50**
Palmer's Rd. *Ems* —2D **34**
Palmers Rd. Ind. Est. *Ems*
—2D **34**
Palmerston Av. *Fare* —2B **26**
Palmerston Bus. Pk. *Fare*
—4A **26**
Palmerston Dri. *Fare* —4A **26**
Palmerston Mans. *S'sea*
(off Palmerston Rd.) —5C **50**

Palmerston Rd. *Hay I* —3C **54**
Palmerston Rd. *S'sea* —5C **50**
Palmerston Way. *Gos* —5A **48**
Palmyra Rd. *Gos* —6G **39**
Pamela Av. *Ports* —2D **28**
Pangbourne Av. *Ports* —4D **30**
Pannall Rd. *Gos* —6G **39**
Pan St. *Ports* —1C **50** (1G **5**)
Panton Clo. *Ems* —6C **22**
Parade Ct. *Ports* —6A **30**
Parade, The. *Fare* —2E **37**
Parade, The. *Gos* —2B **38**
Parade, The. *Navy*
—1A **50** (1B **4**)
Paradise La. *Ems* —5F **23**
Paradise La. *Fare* —2E **27**
(in two parts)
Paradise St. *Ports*
—1C **50** (1G **5**)
Parchment, The. *Hav* —2F **33**
Parham Rd. *Gos* —1E **49**
Park Av. *Water* —1E **31**
Park Building. *Ports*
—2B **50** (3E **5**)
Park Clo. *Gos* —1B **48**
Park Ct. *S'sea* —4C **50** (6F **5**)
Park Cres. *Ems* —2B **34**
Parker Clo. *Gos* —4G **39**
Parker Gdns. *Water* —1E **31**
Pk. Farm Av. *Fare* —5E **13**
Pk. Farm Clo. *Fare* —6F **13**
Pk. Farm Rd. *Water* —5F **19**
Park Gro. *Ports* —4B **30**
Park Ho. *S'sea* —5C **50**
Pk. Ho. Farm Way. *Hav* —5B **20**
Parklands. *Den* —4B **8**
Parklands Av. *Water* —2A **10**
Parklands Bus. Pk. *Den* —4B **8**
Parklands Clo. *Gos* —1D **48**
Park La. *Bed* —1C **32**
Park La. *Cosh* —3C **30**
Park La. *Cowp* —5A **10**
Park La. *Ems* —1F **23**
(in two parts)
Park La. *Fare* —6B **14**
Park La. *Stub* —2E **37**
(in three parts)
Park La. *Water* —6B **10**
Park Mans. *Ports* —4C **30**
Park Pde. *Hav* —5E **21**
(in two parts)
Park Rd. *Den* —2B **8**
Park Rd. *Ems* —2H **35**
Park Rd. *Gos* —5D **48**
Park Rd. *Hay I* —3G **53**
Park Rd. *Ports* —3A **50** (4C **4**)
Park Rd. *Water* —5E **19**
Park Rd. N. *Hav* —1E **33**
Park Rd. S. *Hav* —2F **33**
Park Royal. *Ports* —2A **42**
Parkside. *Hav* —1C **32**
Parkstone Av. *S'sea* —6E **51**
Parkstone La. *S'sea* —5E **51**
Park St. *Gos* —2D **48**
Park St. *S'sea* —3B **50** (5E **5**)
Park Terraces. *Gos* —3E **49**
Park Vw. *Row C* —1H **21**
Pk. View Ho. *Fare* —5B **14**
Park Wlk. *Fare* —6F **13**
Parkway. *Fare* —6B **14**
Park Way. *Hav* —2E **33**
Parkway. *White* —2A **12**
Parkway, The. *Gos* —3B **38**
Parkwood Bus. Cen. *Water*
—1G **19**
Parr Rd. *Ports* —3H **29**
Parry Clo. *Ports* —3C **28**
Parsons Clo. *Ports* —1B **42**
Partridge Clo. *Fare* —3E **27**

Partridge Gdns. *Water* —3F **9**
Passfield Wlk. *Hav* —4H **21**
Passingham Wlk. *Water*
—3A **10**
Pasteur Rd. *Ports* —3A **30**
Pastures, The. *Water* —4A **8**
Patchway Dri. *Fare* —3E **25**
Patrick Howard Dobson Ct.
Water —3H **9**
Patterdale Ho. *Ports* —2F **29**
Paulsgrove Enterprise Cen.
Ports —3F **29**
Paulsgrove Ind. Cen. *Ports*
—3F **29**
Paulsgrove Rd. *Ports* —5B **42**
Paxton Rd. *Fare* —2H **25**
Peacock Clo. *Fare* —3E **27**
Peacock La. *Ports*
—4A **50** (6C **4**)
Peak Dri. *Fare* —3F **25**
Peakfield. *Water* —3A **8**
Peak La. *Fare* —3F **25**
Peak Rd. *Fare* —3E **7**
Peak, The. *Row C* —4H **11**
Pearce Ct. *Gos* —2E **49**
Peartree Clo. *Fare* —2F **37**
Pebble Clo. *Hay I* —5D **54**
Pebmarsh Rd. *Ports* —3H **29**
Pedam Clo. *S'sea* —4G **51**
Peel Pl. *S'sea* —3C **50** (5F **5**)
Peel Rd. *Gos* —2E **49**
Pegasus Clo. *Gos* —2H **47**
Peggotty Ho. *Ports* —6H **41**
Pegham Ind. Est. *Fare* —3E **13**
Pelham Rd. *Gos* —2D **48**
Pelham Rd. *S'sea*
—4C **50** (6G **5**)
Pelham Rd. Pas. *S'sea*
—4C **50** (6G **5**)
Pelham Ter. *Ems* —3E **35**
Pelican Clo. *Fare* —1F **25**
Pelican Rd. *Fare* —6H **25**
Pembroke Chambers. *Ports*
—6C **4**
Pembroke Clo. *Ports*
—4A **50** (6C **4**)
Pembroke Ct. *Gos* —4C **38**
Pembroke Cres. *Fare* —3C **36**
Pembroke Rd. *Ports*
(in two parts) —4A **50** (6C **4**)
Pembury Rd. *Fare* —1F **37**
Pembury Rd. *Hav* —3G **33**
Penarth Av. *Ports* —3D **30**
Pendennis Rd. *Ports* —2D **28**
Penhale Rd. *Ports* —2E **51**
Penhurst Rd. *Hav* —1B **32**
Penjar Av. *Water* —5E **19**
Penk Ridge. *Hav* —3H **31**
Pennant Hills. *Hav* —1B **32**
Pennant Pk. *Fare* —6C **14**
Pennerly Ct. *Hav* —2D **20**
Penner Rd. *Hav* —4E **33**
Pennine Wlk. *Fare* —4G **25**
Pennine Way. *Lee S* —3E **47**
Pennington Way. *Fare* —6F **13**
Penn Way. *Gos* —4A **48**
Penny La. *Ems* —3F **35**
Penny Pl. *Water* —6G **19**
Penny St. *Ports* —4A **50** (6C **4**)
Penrhyn Av. *Ports* —3D **30**
Penrose Clo. *Ports* —3H **41**
Pentere Rd. *Water* —1A **10**
Pentland Ri. *Fare* —2B **28**
Penton Ct. *Hav* —3H **21**
Penwood Grn. *Hav* —4H **21**
Peper Harow. *Water* —1B **10**
Pepys Clo. *Gos* —6D **48**
Pepys Clo. *S'sea* —4F **51**
Percival Rd. *Ports* —5B **42**

Ramillies Ho.—St Denys Wlk.

Ramillies Ho. Gos —3E **49**
(off Bishopsfield Rd.)
Rampart Gdns. Ports —6B **30**
Rampart Row. Gos —4G **49**
(in two parts)
Ramsay Pl. Gos —3C **38**
Ramsdale Av. Hav —4C **20**
Ramsey Rd. Hay I —4C **54**
Randolph Rd. Ports —2A **42**
Ranelagh Rd. Hav —2D **32**
Ranelagh Rd. Ports —4G **41**
Range Grn. Ports —2G **41**
Rannoch Clo. Fare —6G **13**
Ransome Clo. Fare —4B **24**
Ranvilles La. Fare —3D **24**
Rapson Clo. Ports —2G **29**
Ratsey La. Ports —1E **51**
Ravelin Ho. Ports
   —3B **50** (5E **5**)
Raven Clo. Gos —1G **47**
Raven Cft. S'sea —4C **50** (6F **5**)
Ravens Clo. Fare —3F **37**
Ravenswood Gdns. S'sea
   —5D **50**
Rawlinson Ter. Ports
   —1A **50** (1C **4**)
Raymond Rd. Ports —2C **28**
Raynes Rd. Lee S —3D **46**
Record Rd. Ems —2C **34**
Rectory Av. Ports —2H **31**
Rectory Clo. Fare —2E **37**
Rectory Clo. Gos —5C **48**
Rectory Rd. Hav —3F **33**
(in two parts)
Redan, The. Gos —6E **49**
Red Barn Av. Fare —2A **28**
Red Barn La. Fare —5G **13**
Redbridge Gro. Hav —6D **20**
Redcar Av. Ports —4C **42**
Redcliffe Gdns. S'sea —6E **51**
Redhill Ho. Ports —1D **50**
Redhill Rd. Row C —1H **21**
Redhouse Pk. Gdns. Gos
   —1A **48**
Redlands Gro. S'sea —3A **52**
Redlands La. Ems —5D **22**
(in two parts)
Redlands La. Fare —2H **25**
Redlynch Clo. Hav —5H **21**
Rednal Ho. S'sea
   —2D **50** (3H **5**)
Redoubt Ct. Fare —5H **25**
Redshank Rd. Water —6A **6**
Redwing Ct. S'sea —2A **52**
Redwing Rd. Water —1C **6**
Redwood Ct. Water —1G **19**
Redwood Dri. Fare —3H **27**
Redwood Gro. Hav —5G **21**
Redwood Lodge. Fare —1B **26**
Reedling Dri. S'sea —2A **52**
Reedmace Clo. Water —3A **20**
Reed's Pl. Gos —2C **48**
Reeds Rd. Gos —6H **39**
Regal Clo. Ports —3B **30**
Regency Ct. Ports
   —3A **50** (5B **4**)
Regency Gdns. Water —3F **19**
Regency Pl. Fare —2G **25**
Regent Ct. Ports —6H **41**
Regent Pl. S'sea —4B **50**
Regents Ct. Hav —3F **33**
Regent St. Ports —6G **41**
Reginald Rd. S'sea —4G **51**
Reigate Ho. Ports —1D **50**
Relay Rd. Water —1F **19**
Reldas, The. Ports
   —4A **50** (6B **4**)
(off Oyster St.)
Renny Rd. Ports —2E **51**

Renown Gdns. Water —2H **9**
Renown Ho. Gos —3E **49**
(off Anchorage, The)
Repton Clo. Gos —3A **48**
Resolution Ho. Gos —3E **49**
(off Anchorage, The)
Rest-a-Wyle Av. Hay I —2C **54**
Retreat, The. S'sea —4C **50**
Revenge Clo. S'sea —1A **52**
Revenge Ho. Gos —3E **49**
Reynolds Rd. Gos —5E **49**
Rhinefield Clo. Hav —5C **20**
Rhys Ct. S'sea —3G **51**
Richard Gro. Gos —4G **39**
Richmond Clo. Hay I —3H **53**
Richmond Dri. Hay I —3H **53**
Richmond Ho. Ports —3D **4**
Richmond Pl. Ports
   —2B **50** (3D **4**)
Richmond Pl. S'sea —5C **50**
Richmond Ri. Fare —2A **28**
Richmond Rd. Gos —3C **48**
Richmond Rd. Lee S —6F **37**
Richmond Rd. S'sea —5D **50**
Richmond Ter. S'sea —5C **50**
(off Netley Rd.)
Riders La. Hav —5E **21**
(in two parts)
Ridge Clo. Water —1C **6**
Ridgeway Clo. Ports —2D **28**
Ridgeway, The. Fare —2E **27**
Ridgway. Hav —2D **32**
Ridings, The. Ports —1B **42**
Rimington Rd. Water —4G **9**
Ringwood Ho. Hav —4F **21**
Ringwood Rd. S'sea —4H **51**
Ripley Gro. Ports —5C **42**
Ripon Ct. Gos —2H **47**
Ripon Gdns. Water —6B **10**
Rise, The. Water —1F **31**
Ritchie Clo. Hay I —4C **54**
Riverdale Av. Water —2A **20**
Riverhead Clo. S'sea —2H **51**
River La. Fare —3E **13**
Rivermead Ct. Ems —6E **23**
Riverside Av. Fare —6D **14**
Riverside Gdns. Hav —1F **33**
Riverside M. Wick —2A **14**
Riverside Ter. Ems —3E **35**
River's St. S'sea
   —3D **50** (4H **5**)
River St. Ems —5F **23**
River Way. Hav —6G **21**
Roads Hill. Water —4A **6**
Road Vw. Ports —5G **41**
Robert Mack Ct. Ports
   —2B **50** (3C **4**)
Roberts Clo. Wick —1A **14**
Roberts Rd. Gos —1B **48**
Robina Clo. Water —2A **20**
Robin Gdns. Water —3F **9**
Robins Clo. Fare —2E **37**
Robinson Ct. Fare —2A **28**
Robinson Rd. Fare —4D **36**
Robinson Way. Ports —3E **43**
Rochester Ct. Gos —2H **47**
Rochester Rd. S'sea —4F **51**
Rochford Rd. Ports —3H **29**
Rockbourne Clo. Hav —5C **20**
Rockingham Way. Fare
   —3H **27**
Rockrose Way. Ports —1E **29**
Rockville Dri. Water —2G **19**
Rodney Clo. Gos —6C **38**
Rodney Ho. Gos —3F **49**
Rodney Rd. S'sea —2F **51**
Rodney Way. Water —1B **10**
Roebuck Av. Fare —3F **13**
Roebuck Clo. Ports —4B **30**

Rogate Gdns. Fare —2A **28**
Rogate Ho. Ports —1D **50**
Rogers Clo. Gos —1D **48**
Rogers Ho. Lee S —2D **46**
Rogers Mead. Hay I —3B **44**
Roland Clo. Water —1B **10**
Roman Gro. Fare —5B **28**
Roman Way. Hav —1C **32**
Romsey Av. Fare —3G **27**
Romsey Av. Ports —1H **51**
Romsey Rd. Water —3C **6**
Romyns Ct. Fare —2H **25**
Rooke Ho. Ports —2C **4**
Rookery Av. White —2A **12**
Rookery, The. Ems —2E **35**
Rookes Clo. Water —1B **10**
Rooksbury Cft. Hav —4G **21**
Rooksway Gro. Fare —3F **27**
Rookwood Vw. Water —2B **8**
Ropewalk, The. Fare —3B **26**
Ropley Rd. Hav —4H **21**
Rosebay Ct. Water —4H **19**
Rosebery Av. Ports —4C **30**
Rosecott. Horn —1D **10**
Rosedale Clo. Fare —3B **24**
Rosehill. Water —1A **10**
Roselands. Water —2A **10**
Rosemary Gdns. White
   —1A **12**
Rosemary La. Ports
   —2A **50** (3B **4**)
Rosemary Wlk. Lee S —1D **46**
Rosemary Way. Cowp —3B **10**
Rosery, The. Gos —6D **48**
Rosetta Rd. S'sea —3H **51**
Rosewood. Gos —4D **38**
Rosewood Gdns. Water —2G **7**
Rosina Clo. Water —1B **20**
Roslyn Ho. S'sea
   —4C **50** (6G **5**)
Ross Way. Lee S —6H **37**
Rostrevor La. S'sea —6E **51**
Rotherwick Clo. Hav —4H **21**
Rothesay Rd. Gos —6G **39**
Rothwell Clo. Ports —2E **29**
Roundhouse Ct. Hay I —5D **54**
Roundhouse Mdw. Ems
   —4E **35**
Roundway. Water —1H **19**
Rowallan Av. Gos —5C **38**
Rowan Av. Water —5B **10**
Rowan Clo. Lee S —2D **46**
Rowan Ct. S'sea —3F **51**
Rowan Rd. Hav —6H **21**
Rowan Way. Fare —3D **24**
Rowbury Rd. Water —3D **20**
Rowena Ct. S'sea —4D **50**
(off Outram Rd.)
Rowes All. Ports
   —3H **49** (5A **4**)
Rowin Clo. Hay I —5F **55**
Rowland Rd. Fare —1H **25**
Rowland Rd. Ports —2C **28**
Rowlands Av. Water —6G **9**
Rowlands Castle Rd.
   Horn & Ids —1D **10**
Rowner Clo. Gos —4C **38**
Rowner La. Gos —3C **38**
Rowner Rd. Gos —3A **38**
Rowner Wlk. Gos —5C **38**
(in two parts)
Rownhams Rd. Hav —4D **20**
Row Wood La. Gos —4B **38**
Royal Albert Wlk. S'sea
   —5E **51**
Royal Gdns. Row C —6G **11**
Royal Ga. S'sea —5H **51**
Royal Naval Cotts. S'wick
   —3D **16**

Royal Sovereign Av. Fare
   —6A **26**
Royal Way. Water —2A **20**
Rudgwick Clo. Fare —3H **27**
Rudmore Ct. Ports —4G **41**
Rudmore Rd. Ports —5G **41**
Rudmore Roundabout. Ports
   —5H **41**
Rudmore Sq. Ports —5G **41**
Rugby Rd. S'sea —3E **51**
Runnymede. Fare —5F **13**
Rushmere Wlk. Hav —3D **20**
Ruskin Rd. S'sea —3G **51**
Ruskin Way. Water —3H **9**
Russell Churcher Ct. Gos
   —6F **39**
Russell Clo. Lee S —1D **46**
Russell Pl. Fare —2B **26**
Russell Rd. Hav —6F **21**
Russell Rd. Lee S —2D **46**
Russell St. Gos —1C **48**
Russet Gdns. Ems —3F **35**
Rustington Ho. Ports —2G **5**
Rydal Clo. Ports —2F **29**
Rydal Ho. Ports —2F **29**
Rydal Rd. Gos —5G **39**
Ryde Pl. Lee S —3E **47**
Ryecroft. Hav —2H **33**

S

Sabre Rd. Ems —2H **45**
Sackville St. S'sea
   (in two parts) —3C **50** (5F **5**)
Sadlers Wlk. Ems —3E **35**
Saffron Way. White —2A **12**
Sage Clo. Water —3A **20**
Sainsbury Lodge. Ports
   (off Lucknow St.) —2E **51**
St Agathas Way. Ports
   —1C **50** (1F **5**)
St Albans Ct. Gos —2H **47**
St Alban's Rd. Hav —5G **21**
St Albans Rd. S'sea —4F **51**
St Andrew Clo. Water —3C **6**
St Andrews Ct. Ports
   —3B **50** (4E **5**)
St Andrew's Rd. Farl —3H **31**
St Andrew's Rd. Gos —3D **48**
St Andrew's Rd. Hay I —5D **54**
St Andrew's Rd. S'sea
   —4D **50** (6H **5**)
St Anne's Gro. Fare —4H **25**
St Ann's Cres. Gos —1C **48**
St Ann's Rd. Horn —6C **6**
St Ann's Rd. S'sea —4F **51**
St Aubin's Pk. Hay I —4H **53**
St Augustine Rd. S'sea —5F **51**
St Barbara Way. Ports —1B **42**
St Bartholomew's Gdns. S'sea
   —4D **50**
St Catherine's Rd. Hay I
   —4G **53**
St Catherine St. S'sea —6D **50**
St Catherines Way. Fare
   —2E **27**
St Chad's Av. Ports —3A **42**
St Christopher Av. Fare
   —6B **43**
St Christophers Gdns. Gos
   —3C **48**
St Christophers Rd. Hav
   —5C **20**
St Clares Av. Hav —2D **20**
St Clares Ct. Hav —2D **20**
St Colman's Av. Ports —3C **30**
St Davids Ct. Gos —1G **47**
St David's Rd. Clan —2G **7**
St David's Rd. S'sea —3D **50**
St Denys Wlk. Hav —3D **20**

St Edmondsbury Ct. Gos
(off Anson Clo.) —2H 47
St Edward's Rd. Gos —3D 48
St Edwards Rd. S'sea —4C 50
St Edwards Ter. Gos —1C 48
St Faith's Clo. Gos —2C 48
St Faith's Rd. Ports
—1D 50 (1H 5)
St Francis Ct. Ports —1A 42
St Francis Pl. Hav —6E 21
St Francis Rd. Gos —6E 49
St Georges Av. Hav —2H 33
St George's Bus. Cen. Ports
—2A 50 (3C 4)
St George's Ct. Fare —3B 26
St George's Ct. S'sea —4B 50
St George's Ind. Cen. S'sea
—2G 51
St George's Rd. Cosh —3B 30
St George's Rd. Hay I —4H 53
St George's Rd. Ports
—3A 50 (4C 4)
St George's Rd. S'sea —5G 51
St George's Sq. Ports
—2A 50 (3C 4)
St George's Wlk. Water
(off Hambledon Rd.) —2G 19
St George's Way. Ports
—2A 50 (3C 4)
St Giles Way. Water —3C 6
St Helen's Clo. S'sea —5F 51
St Helen's Ct. S'sea —6E 51
(off St Helen's Pde.)
St Helens Ho. Fare —3E 25
St Hellen's Rd. Ports —3F 31
St Herman's Cvn. Est. Hay I
—5E 55
St Herman's Rd. Hay I —5E 55
St Hilda Av. Water —3C 6
St Hubert Rd. Water —3C 6
St James Clo. Water —1C 6
St James' Rd. Ems —3D 34
St James's Rd. S'sea
—3C 50 (5F 5)
St James's St. Ports
—2B 50 (2D 4)
St James Way. Fare —3A 28
St John's Av. Water —5G 19
St John's Clo. Gos —2D 48
St Johns Clo. Hay I —5A 54
St John's Ct. Ports —4G 41
St Johns M. S'sea —4D 50
St John's Rd. Cosh —3B 30
St John's Rd. Ems —2H 35
St John's Rd. Hav —5C 20
St John's Sq. Gos —2D 48
St Leonard's Av. Hay I —3C 54
St Leonards Clo. Fare —6A 12
St Luke's Rd. Gos —1C 48
St Margarets La. Fare —2A 24
St Margaret's Rd. Hay I
—4C 54
St Mark's Clo. Gos —6D 48
St Marks Ct. Gos —2B 48
St Mark's Pl. Gos —5D 48
St Mark's Rd. Gos —6C 48
St Mark's Rd. Ports —4H 41
St Martin's Av. Gos —6D 50
St Mary's Av. Gos —5C 48
St Mary's Ho. Ports —1F 51
St Mary's Rd. Fare —1E 37
St Mary's Rd. Hay I —4B 54
St Mary's Rd. Ports —1E 51
St Matthew's Ct. Gos —2F 49
St Matthew's Rd. Ports
—3B 30
St Michael's Building. Ports
—2B 50 (3E 5)
St Michaels Ct. Ports —2F 29

St Michael's Gro. Fare —4H 25
St Michael's Ho. Fare —3H 25
St Michael's Rd. Hav —5C 20
St Michael's Rd. Ports
—3B 50 (4E 5)
St Michaels Way. Water —3C 6
St Nicholas Av. Gos —5B 38
St Nicholas Rd. Hav —6C 20
St Nicholas Row. Wick
—2A 14
St Nicholas St. Ports
—4A 50 (6C 4)
St Paul's Rd. S'sea
—3B 50 (5E 5)
St Paul's Sq. S'sea
—3B 50 (5E 5)
St Peter's Av. Hay I —3E 45
St Peters Gro. S'sea
—4D 50 (6H 5)
St Peter's Rd. Hay I —1E 45
St Peter's Sq. Ems —3D 34
St Piran's Av. Ports —6C 42
St Quentin Ho. Fare —4G 25
(off Bishopsfield Rd.)
St Ronan's Av. S'sea —5E 51
St Ronan's Rd. S'sea —6E 51
St Sebastian Cres. Fare
—6B 14
St Simon's Rd. S'sea —5D 50
St Stephen's Rd. Ports —5A 42
St Swithun's Rd. Ports —3B 42
St Theresa's Clo. Hav —6C 20
St Thomas Av. Hay I —4H 53
St Thomas Clo. Fare —6C 14
St Thomas's Ct. Ports
—3A 50 (5C 4)
St Thomas's Rd. Gos —5H 39
St Thomas's Rd. Ports
—4A 50 (6B 4)
St Ursula Gro. S'sea
—4D 50 (6H 5)
St Valerie Rd. Gos —4D 48
St Vincent Cres. Water —1B 10
St Vincent Rd. Gos —1D 48
St Vincent Rd. S'sea —5D 50
St Vincent St. S'sea
—3C 50 (4E 5)
Salcombe Av. Ports —4C 42
Salerno Dri. Gos —3B 48
Salerno Ho. Fare —4H 25
Salerno Rd. Ports —1H 41
Salet Way. Water —6B 10
Salisbury Rd. Cosh —4C 30
Salisbury Rd. S'sea —5F 51
Salisbury Ter. Lee S —2D 46
Salterns Av. S'sea —2H 51
Salterns Clo. Hay I —4E 55
Salterns Est. Fare —4B 26
Salterns La. Fare —4B 26
Salterns La. Hay I —4D 54
Saltern's Rd. Fare & Lee S
—5D 36
Saltings, The. Hav —5F 33
Saltings, The. Ports —4G 31
Saltmarsh La. Hay I —2A 54
Saltmeat La. Gos —1F 49
Salvia Clo. Water —3A 20
Sampson Rd. Fare —5H 25
Sampson Rd. Ports
—1H 49 (1A 4)
Samson Clo. Gos —6D 38
Samuel Rd. Ports —1F 51
Sandcroft Clo. Gos —4A 48
Sanderling Rd. S'sea —2A 52
Sanderlings, The. Hay I
—5C 54
Sanderson Cen., The. Gos
—2D 48
Sandford Av. Gos —3H 47

Sandhill La. Lee S —5A 38
(in two parts)
Sandhurst Ct. S'sea —4D 50
San Diego Rd. Gos —1D 48
Sandisplatt. Fare —3E 25
Sandleford Rd. Hav —2D 20
Sandlewood Clo. Water —2G 7
Sandown Clo. Gos —4H 47
Sandown Heights. Fare —3E 25
Sandown Rd. Ports —4A 30
Sandpiper Clo. Water —6A 6
Sandpipers. Ports —4G 31
Sandport Gro. Fare —4H 27
Sandringham La. Ports —2E 51
Sandringham Rd. Fare —3D 24
Sandringham Rd. Ports
—2E 51
Sandy Beach Est. Hay I
—6H 55
Sandy Brow. Water —5F 19
Sandyfield Cres. Water —4G 9
Sandy La. Fare —3B 24
Sandy Point. Hay I —4H 55
Sandy Point Rd. Hay I —6G 55
Sanross Clo. Fare —4C 36
Sapphire Ridge. Water —2A 20
Sarah Robinson Ho. Ports
—2A 50 (2C 4)
Saunders M. S'sea —5H 51
Savernake Clo. Gos —3D 38
Saville Clo. Gos —4B 48
Saville Gdns. Fare —6A 14
Savoy Ct. S'sea —6E 51
Saxley Ct. Hav —3C 20
Saxon Clo. Fare —2H 27
Saxon Clo. Water —2C 6
Scafell Av. Fare —3F 25
Scholars' Wlk. Ports —4E 31
School La. Den —2A 8
School La. Ems —4F 23
(Long Corpse La.)
School La. Ems —3D 34
(West St.)
School La. Ports —6H 41
School Rd. Gos —4F 39
School Rd. Hav —2E 33
School Rd. Wick —2A 14
Schooners Clo. Lee S —1D 46
Schooner Way. S'sea —1A 52
Scimitars, The. Fare —2D 36
Scotney Ct. Hav —3H 21
Scott Clo. Fare —1E 37
Scott Ho. Ports —3G 41
Scott Rd. Hils —6B 30
Scott Rd. Navy —1H 49 (1A 4)
Scratchface La. Hav —1B 32
Scratchface La. Water —5H 19
(in three parts)
Seabird Way. Fare —4B 26
Sea Crest Rd. Lee S —2D 46
Seafarers Wlk. Hay I —6H 55
Seafield Pk. Rd. Fare —4D 36
Seafield Rd. Fare —4H 27
Seafield Rd. Ports —4C 42
Seafields. Ems —3C 34
Seafield Ter. Gos —4E 49
Sea Front. Hay I —4G 53
Sea Front Est. Hay I —5D 54
Seager's Ct. Ports
—4H 49 (6A 4)
Sea Gro. Av. Hay I —5C 54
Seagrove Rd. Ports —4H 41
Seagull Clo. S'sea —1A 52
Seagull La. Fare —2D 34
(in two parts)
Seagulls, The. Lee S —3E 47
Seahorse Wlk. Gos —2F 49
Sea Kings. Fare —2D 36
(in two parts)

Sea La. Fare —5E 37
Seamead. Fare —5E 37
Sea Mill Gdns. Ports
—2A 50 (3C 4)
Seathrift Clo. Lee S —1C 46
Seathwaite Ho. Ports —2F 29
Seaton Av. Ports —5C 42
Seaton Clo. Fare —3E 37
Seaview Av. Fare —2C 28
Seaview Ct. Gos —4H 47
Seaview Ct. Lee S —2D 46
Sea Vw. Rd. Hay I —4E 55
Sea Vw. Rd. Ports —2E 31
Seaward Tower. Gos —3G 49
Seaway Cres. S'sea —3B 52
Seaway Gro. Fare —5A 28
Sebastian Gro. Water —1A 20
Second Av. Farl —4F 31
Second Av. Hav —1H 33
Second Av. Ports —3A 30
Second Av. S'brne —3H 35
Sedgefield Clo. Ports —3D 28
Sedgeley Gro. Gos —5G 39
Sedgewick Clo. Gos —5C 38
Sedgley Clo. S'sea
—3D 50 (4H 5)
Segensworth E. Ind. Est. Fare
(in two parts) —4A 12
Segensworth N. Ind. Est. Fare
—4A 12
Segensworth Rd. Fare —5A 12
Selangor Av. Ems —2A 34
Selborne Av. Hav —4D 20
Selborne Gdns. Gos —3B 48
Selbourne Rd. Hav —2E 33
Selbourne Ter. Ports —2E 51
Selhurst Ho. Ports —1D 50
Selma Ct. S'sea —5D 50
Selsey Av. Gos —5G 39
Selsey Av. S'sea —5G 51
Selsey Clo. Hay I —5H 55
Selsmore Av. Hay I —5E 55
Selsmore Rd. Hay I —4C 54
Sennen Pl. Port S —4E 29
Sentinel Clo. Water —6B 10
Serpentine Rd. Fare —6B 14
Serpentine Rd. S'sea —5C 50
(Clarence Pde.)
Serpentine Rd. S'sea —5C 50
(Portland Rd.)
Serpentine Rd. Wid —6E 19
Service Rd. Ports —3H 29
Settlers Clo. Ports
—1D 50 (1H 5)
Sevenoaks Rd. Ports —3A 30
Severn Clo. Fare —3G 27
Severn Clo. Ports —2F 29
(in two parts)
Seymour Clo. Ports —6H 41
Seymour Rd. Lee S —3D 46
Shackleton Ho. Ports —3A 42
Shackleton Rd. Gos —5D 38
Shadwell Ct. Ports —3G 41
Shadwell Rd. Ports —3H 41
Shaftesbury Av. Water —5F 19
Shaftesbury Rd. Gos —3E 49
(in two parts)
Shaftesbury Rd. S'sea —5C 50
Shakespeare Gdns. Water
—4G 9
Shakespeare M. Titch —3C 24
(off East St.)
Shakespeare Rd. Ports —1E 51
Shakespeare Ter. Ports —6C 4
Shalbourne Rd. Gos —6G 39
Shaldon Rd. Hav —3H 21
Shamrock Clo. Gos —3F 49
Shamrock Enterprise Cen. Gos
—4F 39

Shanklin Pl.—Stanford Ct.

Shanklin Pl. *Fare* —3E **25**
Shanklin Rd. *S'sea* —3E **51**
Shannon Clo. *Fare* —1F **25**
Shannon Rd. *Fare* —1D **36**
(Old St.)
Shannon Rd. *Fare* —6A **26**
(Royal Sovereign Av.)
Sharlands Rd. *Fare* —5A **26**
Sharon Ct. *Gos* —2E **49**
Sharpness Clo. *Fare* —3E **25**
Sharps Clo. *Ports* —2D **42**
Sharps Rd. *Hav* —4H **21**
Shawcross Ind. Pk. *Ports*
—6C **30**
Shawfield Rd. *Hav* —2G **33**
Shawford Gro. *Hav* —4C **20**
Shearer Rd. *Ports* —6A **42**
Shearwater Av. *Fare* —2E **27**
Shearwater Clo. *Gos* —3B **38**
Shearwater Dri. *Ports* —4H **31**
Sheepwash La. *Water* —6A **8**
Sheepwash Rd. *Horn* —1D **10**
(Havant Rd.)
Sheepwash Rd. *Horn* —4C **10**
(Padnell Rd.)
Sheffield Ct. *Gos* —1G **47**
Sheffield Rd. *Ports* —2E **51**
Shelford Rd. *S'sea* —2H **51**
Shelley Av. *Ports* —2C **28**
Shelley Gdns. *Water* —4G **9**
Shenley Clo. *Fare* —1E **25**
Shepards Clo. *Fare* —3E **25**
Shepheard's Way. *Gos* —5E **49**
Sheppard Clo. *Water* —1A **10**
Sherfield Av. *Hav* —4G **21**
Sheringham Rd. *Ports*
—2H **29**
Sherwin Wlk. *Gos* —4C **48**
Sherwood Rd. *Gos* —3C **48**
Shetland Clo. *Ports* —2B **30**
Shillinglee. *Water* —5G **19**
Shipbuilding Rd. *Ports*
—1H **49**
Ship Leopard St. *Ports*
—2A **50** (2B **4**)
Shipton Grn. *Hav* —3D **20**
Shire Clo. *Water* —6B **10**
Shirley Av. *S'sea* —3A **52**
Shirley Rd. *S'sea* —5E **51**
Shirrel Ct. *Gos* —4H **47**
Sholing Ct. *Hav* —3D **20**
Shoot La. *Lee S* —5H **37**
Shore Av. *S'sea* —1H **51**
Shorehaven. *Ports* —3D **28**
Short Rd. *Fare* —3C **36**
Short Row. *Navy*
—1A **50** (1B **4**)
Shrubbery Clo. *Fare* —4A **28**
Shrubbery, The. *Gos* —6F **39**
Sibland Clo. *Fare* —3F **25**
Sidlesham Clo. *Hay I* —5H **55**
Sidmouth Av. *Ports* —5C **42**
Silchester Rd. *Ports* —6D **42**
Silkstead Av. *Hav* —3F **21**
Silver Birch Av. *Fare* —3G **25**
Silverdale Dri. *Water* —5E **9**
Silverlock Clo. *Ports* —5H **41**
Silverlock Pl. *Fare* —4F **23**
Silver Sands Gdns. *Hay I*
—5D **54**
Silver St. *S'sea* —4B **50** (6E **5**)
Silverthorne Way. *Water*
—1F **19**
Silvertrees. *Ems* —1D **34**
Silvester Rd. *Water* —4G **9**
Simmons Grn. *Hay I* —4E **55**
Simpson Clo. *Fare* —2A **28**
Simpson Rd. *Cosh* —2B **30**
Simpson Rd. *Ports* —4G **41**

Sinah La. *Hay I* —4G **53**
Sinah Warren Holiday Village.
Hay I —3F **53**
Singleton Gdns. *Water* —1D **6**
Sirius Ct. *S'sea* —3C **50** (5F **5**)
Sirius Ho. *S'sea* —5D **50**
Siskin Gro. *Water* —3A **20**
Siskin Rd. *S'sea* —2A **52**
Sissinghurst Rd. *Fare* —4G **27**
Sixth Av. *Ports* —3A **30**
Skew Rd. *Fare* —1A **28**
Skipper Way. *Lee S* —1D **46**
Skylark Ct. *S'sea* —2A **52**
Skylark Meadows. *Fare*
—4B **12**
Slater App. *Ports* —4F **41**
Slindon Clo. *Water* —2H **7**
Slindon Gdns. *Hav* —2F **33**
Slindon St. *Ports*
—2C **50** (2G **5**)
Slingsby Clo. *Ports*
—4B **50** (6D **4**)
Slipper Cvn. Pk. *Ems* —3E **35**
Slipper Rd. *Ems* —3E **35**
Slipway, The. *Port S* —4E **29**
Sloane Stanley Ct. *Gos* —1D **48**
Slocum Ho. *Gos* —3E **49**
Smallcutts Av. *Ems* —2H **35**
Smeaton St. *Ports* —3G **41**
Smeeton Rd. *Lee S* —1D **46**
Smith St. *Gos* —3C **48**
Smithy, The. *Water* —3A **8**
Snape Clo. *Gos* —5C **38**
Snowberry Cres. *Hav* —6H **21**
Snowdon Dri. *Fare* —3G **25**
Soake Rd. *Water* —4D **8**
Soberton Ho. *Ports* —1H **5**
Soberton Rd. *Hav* —5E **21**
Soldridge Clo. *Hav* —3A **22**
Solent Bus. Pk. *White* —2A **12**
Solent Cen. *White* —2A **12**
Solent Dri. *Hay I* —5B **54**
Solent Heights. *Lee S* —2C **46**
Solent Heights. *S'sea* —4C **52**
Solent Ho. *Fare* —4A **26**
Solent Ho. *Hav* —6G **21**
Solent Rd. *Fare* —4C **36**
Solent Rd. *Hav* —2D **32**
Solent Rd. *Ports* —3E **31**
Solent Rd. *Ports* —5E **31**
Solent Vw. *Fare* —2H **27**
Solent Village. *White* —3A **12**
Solent Way. *Gos* —4A **48**
Solihull Ho. *S'sea*
—3B **50** (4E **5**)
Somborne Dri. *Hav* —4F **21**
Somerset Rd. *S'sea* —6D **50**
Somers Rd. *S'sea*
(in two parts) —3C **50** (5G **5**)
Somers Rd. N. *Ports* —2E **51**
Somervell Clo. *Gos* —5C **48**
Somervell Dri. *Fare* —6H **13**
Somerville Pl. *Ports* —3G **41**
Sonnet Way. *Water* —1B **20**
Sopley Ct. *Hav* —3H **21**
Sorrel Clo. *Water* —3A **20**
Sorrel Dri. *White* —2A **12**
Southampton Hill. *Fare* —2B **24**
Southampton Ho. *Hav* —4G **21**
Southampton Rd. *Fare* —1B **26**
Southampton Rd. *Ports*
—3C **28**
Southampton Row. *Ports*
—2A **50** (2C **4**)
South Av. *Ports* —1A **42**
Southbourne Av. *Ems* —3F **35**
Southbourne Av. *Ports* —3D **30**
Southbrook Clo. *Hav* —3F **33**
Southbrook Rd. *Hav* —4F **33**

Southcliff. *Lee S* —6G **37**
South Clo. *Gos* —5B **48**
South Clo. *Hav* —3G **33**
Southcroft Rd. *Gos* —2B **48**
S. Cross St. *Gos* —3F **49**
Southdown Rd. *Cosh* —3C **30**
Southdown Rd. *Water & Horn*
(in three parts) —3C **6**
Southdown Vw. *Water* —5E **9**
Southernhay. *Water* —3B **8**
Southfield Wlk. *Hav* —2C **20**
Southlands. *Ports* —3C **30**
South La. *S'brne* —1H **35**
South La. *Water* —2F **7**
(Drift Rd.)
South La. *Water* —4G **7**
(North La.)
Southleigh Gro. *Hay I* —3B **54**
Southleigh Rd. *Hav & Ems*
(in two parts) —2H **33**
S. Lodge. *Fare* —2D **24**
Southmead Rd. *Fare* —2F **25**
Southmoor La. *Hav* —3D **32**
South Normandy. *Ports*
—3A **50** (5C **4**)
South Pde. *S'sea* —6D **50**
South Pl. *Lee S* —3E **47**
South Rd. *Cosh* —4F **31**
South Rd. *Hay I* —4B **54**
South Rd. *Horn* —4C **6**
South Rd. *Ports* —6A **42**
South Rd. *S'wick* —1E **29**
(Hilltop Rd.)
South Rd. *S'wick* —3E **17**
(Main Dri.)
Southsea Esplanade. *S'sea*
—6F **51**
Southsea Ter. *S'sea* —4B **50**
Southsea Works Ind. Est.
S'sea —2G **51**
South Spur. *S'wick* —1F **29**
South St. *Ems* —3D **34**
South St. *Gos* —4D **48**
South St. *Hav* —3F **33**
South St. *S'sea* —4C **50** (6E **5**)
South St. *Titch* —3B **24**
South Ter. *Ports*
—2A **50** (2B **4**)
South Vw. *Cowp* —3A **10**
Southwater. *Lee S* —1B **46**
Southway. *Gos* —2C **38**
Southway. *Titch* —6A **12**
Southways. *Stub* —3F **37**
Southwick Av. *Fare* —2C **28**
Southwick By-Pass. *S'wick*
—3B **16**
Southwick Ct. *Fare* —5A **26**
Southwick Hill Rd. *Cosh*
—1H **29**
Southwick Ho. *Ports* —1H **5**
Southwick Rd. *Den* —3A **8**
Southwick Rd. *S'wick* —4D **16**
Southwick Rd. *Wick & N Boar*
—2B **14**
Southwood Rd. *Hay I* —5E **55**
Southwood Rd. *Ports* —1A **42**
Sovereign Av. *Gos* —6A **40**
Sovereign Clo. *S'sea* —2B **52**
Sovereign Dri. *S'sea* —2A **52**
Sovereign Ga. *Ports* —1C **50**
(off Staunton St.)
Sovereign La. *Water* —6G **19**
Sparrow Clo. *Water* —3H **9**
Sparrow Ct. *Lee S* —6H **37**
Sparsholt Clo. *Hav* —4C **20**
Spartan Clo. *Ems* —2H **45**
Spartan Clo. *Fare* —6F **25**
Specks La. *S'sea* —2G **51**

Speedfield Pk. Retail Pk. *Fare*
—6B **26**
Spencer Clo. *Hay I* —4C **54**
Spencer Ct. *Fare* —3G **37**
Spencer Ct. *S'sea* —5D **50**
Spencer Dri. *Lee S* —2D **46**
Spencer Gdns. *Water* —3G **9**
Spencer Rd. *Ems* —5C **22**
Spencer Rd. *S'sea* —5F **51**
Spenlow Clo. *Ports* —6H **41**
Spice Quay. *Ports*
—4A **50** (6A **4**)
Spicer Ho. *Ports* —1D **4**
Spicer St. *Ports* —1C **50** (1G **5**)
Spicewood. *Fare* —1G **25**
Spindle Clo. *Hav* —6A **22**
Spindle Warren. *Hav* —6A **22**
Spinnaker Clo. *Gos* —6D **38**
Spinnaker Clo. *Hay I* —3A **54**
Spinnaker Dri. *Ports* —1H **41**
Spinnaker Grange. *Hay I*
—1E **45**
Spinnaker Vw. *Hav* —2A **32**
Spinney Clo. *Water* —3G **9**
Spinney, The. *Den* —4B **8**
Spinney, The. *Fare* —2F **27**
Spinney, The. *Gos* —4D **38**
Spinney, The. *Water* —1A **10**
Spithead Av. *Gos* —6E **49**
Spithead Heights. *S'sea*
—4C **52**
Spithead Ho. *Fare* —4A **26**
Spring Ct. *Lee S* —2D **46**
Springcroft. *Gos* —6B **26**
Springfield Clo. *Hav* —1B **32**
Springfield Clo. *Wick* —1A **14**
Springfield Way. *Fare* —4E **37**
Spring Garden La. *Gos* —2E **49**
Spring Gdns. *Ems* —3D **34**
Spring Gdns. *Ports*
—2C **50** (3E **5**)
Springles La. *Fare* —4B **12**
Spring St. *Ports* —2C **50** (2F **5**)
Spring, The. *Water* —4A **10**
Spring Va. *Water* —3B **10**
Spring Wlk. *Ports*
—1C **50** (1F **5**)
Springwood Av. *Water* —3H **19**
Spruce Av. *Water* —2A **20**
Spruce Wlk. *Lee S* —1D **46**
Spurlings Rd. *Fare* —5D **14**
Spur Rd. *Cosh* —3B **30**
Spur Rd. *Water* —2G **19**
Spur, The. *Gos* —5B **48**
Spur, The. *Wick* —1A **14**
Square, The. *Gos* —5A **40**
Square, The. *Titch* —3B **24**
Square, The. *Westb* —6F **23**
Square, The. *Wick* —2A **14**
(in two parts)
Stacey Ct. *Hav* —2D **20**
Stafford Rd. *S'sea* —4D **50**
Staffwise Bus. Cen. *Cosh*
—4B **30**
Stagshorn Rd. *Water* —6C **6**
Stag Way. *Fare* —4F **13**
Stakes Hill Rd. *Water* —2G **19**
Stakes Rd. *Water* —4E **19**
Stallard Clo. *Ems* —2C **34**
Stamford Av. *Hay I* —4A **54**
Stamford St. *Ports* —1E **51**
Stampsey Ct. *Ports* —3G **41**
Stamshaw Promenade. *Ports*
—1H **41**
Stamshaw Rd. *Ports* —3H **41**
Stanbridge Rd. *Hav* —6H **21**
Standard Way. *Fare* —6C **14**
Stanford Clo. *Ports* —3H **29**
Stanford Ct. *Hav* —4H **21**